美の位相《トポロジー》

——表現の構造的研究——

森田文康

MORITA FUMIYASU

幻冬舎 MC

美の位相《トポロジー》

――表現の構造的研究――

目次

①定家と響合
②連歌の寄合
③俳諧の取合せ　疎句

三　近現代詩歌の響合
①共時
②二物衝撃

第三章　美術と響合

一　古代　中世美術と響合
①アトリビュート（Attribute）
②玉虫厨子
③詩画軸
④同朋衆と梁楷画三幅飾り

二　近代絵画と響合
①共時（マネ〈草上の昼食〉について）
②バルール（Valeur）

序

「海」「山」「空」「神」「星」「国」「暦」「歴史」「性」「幸福」「善悪」「死」……これらは全て人間が創った。これらは人間が解釈した外界のイメージに名を付けたもの、即ち概念なのだ。

どうやら人類は外界を概念として認識しようとする動物であるらしい。混沌とした掴みどころのない外界のグラデーションの中から、輪郭に縁取られた個体を取り出し、名を付け概念は産声を上げる。そして、人々の共有により確かな存在となるのだ。

かつて、人類は自然（外界）を精霊や神という概念で捉えることにより、世界を関係付け把握する術を得た。そして、自然に対する底知れぬ恐怖は畏敬となり、占いにより神の意思を知り、祈りにより神に意思を伝えた。そして遂に自然を美として受け止めるに至ったのだ。更に物質と精神を分けることにより、物質の研究は飛躍的に発展を遂げた。そして、概念の創造は未知なる領域をも許さぬ勢いとなった。

真実とは確かな概念のことに他ならない。従って、確かな概念は根拠のないフィクションなどではない。火のないところに概念は立たぬ。真実に迫らない概念は共感されず、共有には至らない。時代にそぐわなくなった概念は忘れ去られるか、死語辞典に墓碑を刻む。

この概念の新陳代謝は人類が生存する限り続く永遠の営みであろう。真実は近づくことはできても、永遠に辿り着くことのできない蓬莱山（注1）のようなものである。しかし、それは絶望を意味するものではない。辿り着こうとするエネルギーこそ生きるに値する価値があるのだ。

概念の創造とその共有には美的感性が有効な力となる。真実の姿を具現化する優れた美は観者の個人的好みに止まらず、極めて広範囲な人々に共感をもたらす。美的感性は人類に共通する記憶に根付き、記憶を呼び起こすからである。その魔力は、万人に共感と共通の志向をもたらし、社会の形成に重要な役割を果たしてきた。古代・中世のキリスト教、イスラム教、仏教などの宗教美術はその典型と云える。美の力を借りずして、布教はあり得たであろうか。

通常、美術史研究は作品の比較において微妙な表現の違いを見つけ出し、様式の系譜を辿り年表に位置付ける。こうした微視的視野とは真逆に、分野、時代の枠を超えて、可能な限り幅広く多様な作品を鳥瞰していくと、「どこが異なるのか」から、「どこが同じなのか」へと問題意識が変化してゆく。本稿の位相（トポロジー）というタイトルはこれに由来する。

そうした俯瞰的観点の中、詩歌、美術など多様な分野に跨り「様々な事象から独立し複数の素材を取り出し、素材の意味や形質を変えることなく、一つの作品の中に要素として取り込み、要素同士の響き合いにより新たな表現を生み出す手法」が時代、分野、民族を超えて存在することを確認した。この多様な分野に潜んでいる手法を「響合（きょうごう）」と名付けたい。響合は時代、分野、民族を問わず見られる普遍的表現手法であり、且つ、響合を成す要素の距離に時代的変遷が認められる。本稿の一つのテーマとして、以下、具体例を挙げて述べていきたい。

（注1）蓬莱山は古代中国の伝説的な三神山の一つ。司馬遷の封禅書に「遠く望めば雲のようであり、そこまで行ってみると三神山は水の下にあり、それをのぞきこむと、きまって風が船をひきはなしてしまい、結局、だれもゆきつくことはできなかった。」とある。

第一章　美と連想の共有

数人に好きな画家の名を尋ねれば人それぞれであろうが、千人の人に尋ねれば画家の名はある程度限定的に偏るであろう。芸術の世界ではなぜ巨匠・天才・名作などと特定の芸術家、特定の作品に限り称賛を与えるのであろうか。答えは簡単、「いいものはいい」からである。しかし、この単純な共感論が正解になるには「いいもの」とする尺度、即ち感性に人類共通の認識基準が備わっていることが前提になる。美の存在には個人の好みを超えた普遍性が必要なのだ。人類はそのような共感力を如何にして獲得したのであろうか。

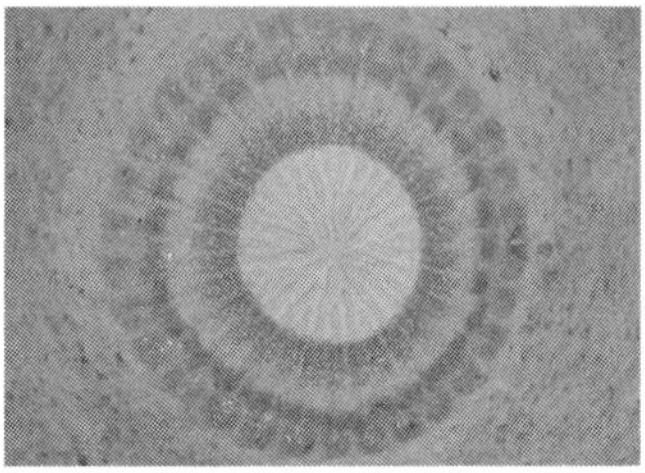
図１　アマミホシゾラフグの産卵床

美の起源は、動物の求愛行動に見られるとする研究があるそうだ。筆者は、その真偽を論じるほどの生物学的知識はない。しかし、鳥の求愛ダンス、アマミホシゾラフグの産卵床（図１）を見ると、見事な意匠に検証もせず求愛行動起源説に納得してしまいそうになる。

こうした動物の求愛行動が我々の美的感性の源とすると、人類は人類以前から共通した美的感覚を有する可能性があり、実に興味深い（注１）。

美は言葉と共に万人と概念を共有する為に多大な貢献をしてきた。呪術や神仏を演出し、人々を同一志向に導いたのだ。美的感性という人類に共感をもたらす機能が、社会の形成に多大な功績を残してきたのだ。

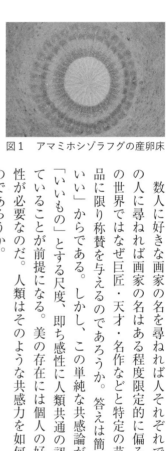

そして美の社会的役割は一定の成果を上げ、社会は確固たる組織を作り上げた。そして近代という窮屈なほど制度化した社会に至り、その役割を終えた美は、市民生活の自由を彩り、美は美の為にあるとする主張が隆盛を得るようになった。美術は人々を同一志向に導くものから楽しむものになり、享楽的・刺激的なものへと変貌を遂げた。それに伴い芸術家は精神の自由を尊び、あらゆる用から脱し表現の制約を嫌った。政治経済から距離を取ろうとする風潮は近代スポーツと同様である。殊に第二次大戦の、極度に政治と結び付いたプロパガンダ芸術の悲惨な結末は、その後の芸術家たちの政治嫌いに拍車をかけたように思われる。

しかし、精神の自由を謳歌していた近代芸術至上主義は矛盾を抱え終焉を迎える。この状況は、以下本稿の述べるところである。

一　定義的表現と比喩的表現

筆者は序において、「混沌とした掴みどころのない外界のグラデーションの中から、輪郭に縁取られた個体を取り出し、名を付け概念は産声を上げる。そして、人々の共有により確かな存在となるのだ。」と述べた。その輪郭の内側を認識・表現する方法には、定義的表現と比喩的表現がある。前者は論理的認識、後者は感覚的認識と云えよう。云うまでもなく、絵画・文学における表現は後者である。本稿は比喩的表現、分けても響合という表現手法について述べることにする。

【定義的表現】対象をずれなく客観的に説明しようとする知的表現。他との違いを論理的に明らかにし、事実の表記を目指す。科学的実証的論法の基盤となる。

例『富士山』静岡県と山梨県に跨る活火山。標高3776m。日本の最高峰。懸垂曲線の形をした玄武岩質成層火山。古来霊峰とされ、浅間大神が鎮座する。平成二十五年には「富士山－信仰の対象と芸術の源泉」の名で世界文化遺産に登録された。

【比喩的表現】色 形 韻文 比喩などを用い、機知に富む遊戯性や芸術性を帯びた表現。感動・ユーモアの表現などに適する。定義的表現にはないゆらぎ、ずれを伴う。人類共有の美的感覚・連想の資源を活用し、真実の表現を目指す。

例『富士山』その山は、ここにたとへば、比叡の山を二十ばかり重ね上げたらむほどして、なりは塩尻のやうになむありける。　『伊勢物語』九段より

「二十ばかり」という数値は目視で富士の高さを計測したわけではなく、定義的表現における標高3776mという数値とは大きく意味を異にする。これは量感をも含めた体感的、主観的数値である。「塩尻のやうに」は擂鉢の形を引き合いにした直喩。富士山を目の当たりにした感動が伝わる。

この内、比喩的表現は連想という不思議な力に支えられていることに気が付く。外界の

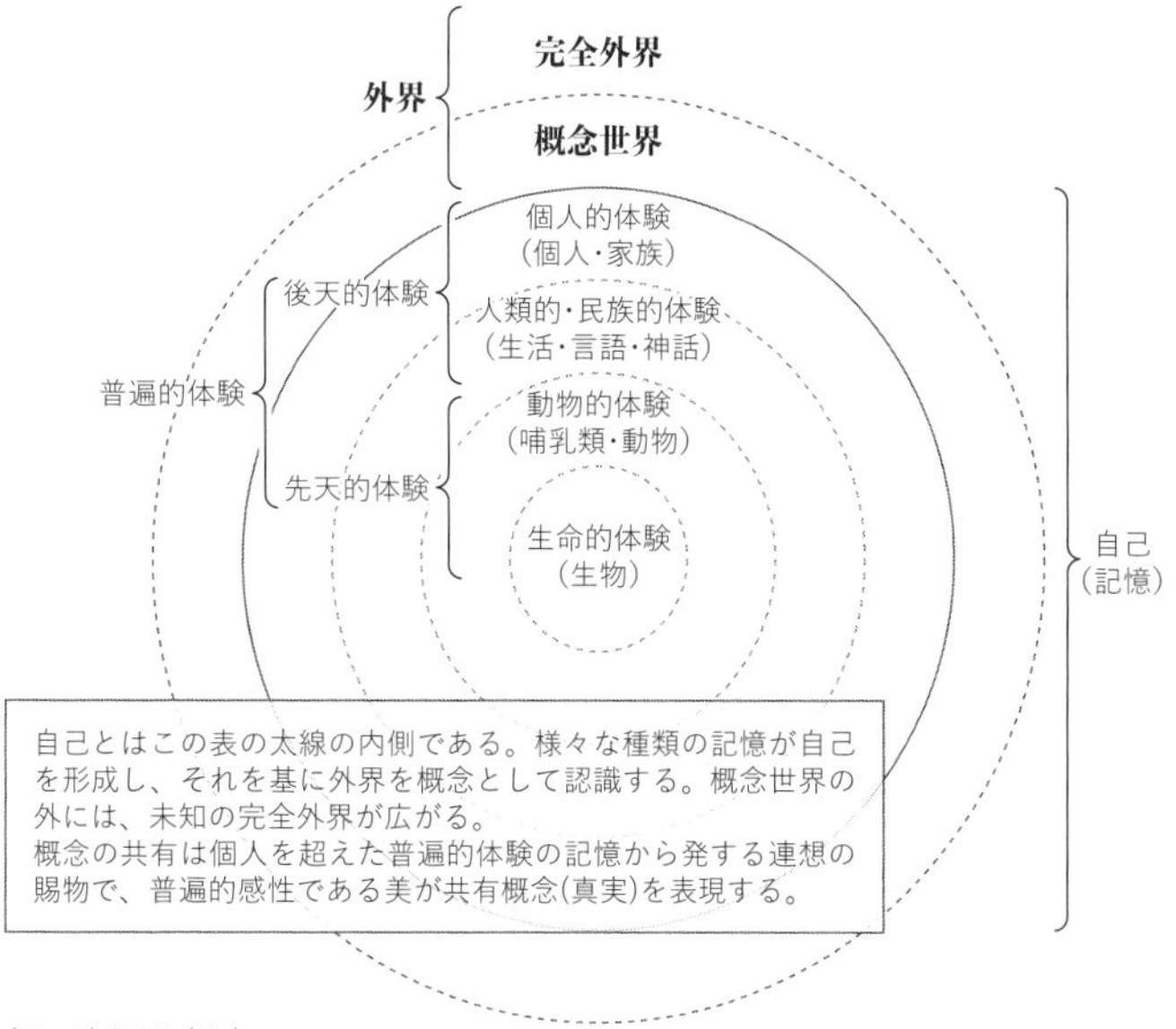
外界
完全外界
概念世界
個人的体験
（個人・家族）
後天的体験
人類的・民族的体験
（生活・言語・神話）
普遍的体験
動物的体験
（哺乳類・動物）
先天的体験
生命的体験
（生物）
自己
（記憶）
自己とはこの表の太線の内側である。様々な種類の記憶が自己を形成し、それを基に外界を概念として認識する。概念世界の外には、未知の完全外界が広がる。
概念の共有は個人を超えた普遍的体験の記憶から発する連想の賜物で、普遍的感性である美が共有概念（真実）を表現する。

連想の資源分類表

何かを認識したとき、連想により別の事項と関連付け、世界は広がってゆく。連想がなければ当然比喩などあり得ない。「枯る＝借る＝離る＝狩る＝刈る」などの掛詞も音を根拠とした連想の広がりである。

二　連想の資源

連想の資源は個人的体験、後天的記憶に留まらない。動物的体験・生命的体験の記憶、即ち先天的記憶へと繋がっている。連想が、人間の生まれながらにして持っている資源、即ち先天的記憶まで掘り進めるにつれて、個人を超え普遍的な世界に入り込み、人類にイメージの共有を約束してくれる。そして普遍的な連想の資源は普遍的美をもたらしてくれ

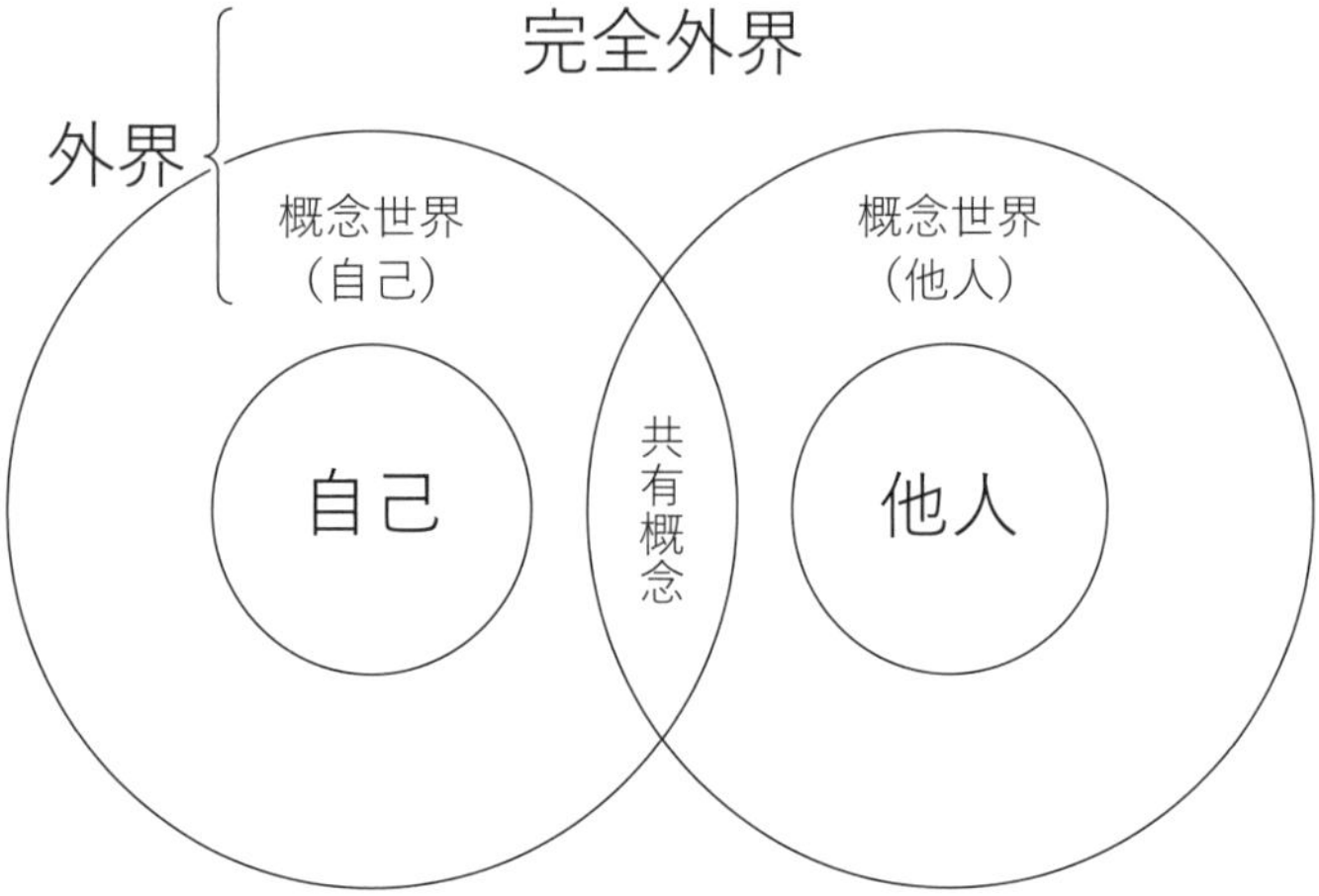

共有概念の位置

る。連想の資源こそ、概念や美を個人的なものから普遍的なものへと導き、人類共有の志向をもたらす根拠なのである。

では普遍的な連想の資源とはどのようなものがあるのか、次に例を挙げよう。

唐衣きつつなれにしつましあれば
はるばる来ぬる旅をしぞ思ふ
『伊勢物語』第九段

東に下る途中、三河の国八つ橋でのこと、心細く旅を続ける業平一行は、沢のほとりに美しく咲いた杜若に心を癒し、せめてひとときなりとも雅の心を取り戻そうとする。「かきつばた」の五文字を折句にして詠んだ技巧は見事であるが、「唐衣」という枕詞が、「着慣れた」から「慣れ親しんだ妻」へと連想を深めるとき、衣が女性を象徴する表現になっていることに気が付く。

筑波祢乃 尓比具波麻欲能 伎奴波安礼杼 伎美我美家思志 安夜尓伎保思母
筑波嶺の新桑繭の衣はあれど君が御衣しあやに着欲しも
『万葉集』東歌（3350）

新桑繭（にひぐはまよ）＝若い桑の葉でよく育った繭

筑波祢尓 由伎可母布良留 伊奈乎可母 可奈思吉児呂我 尓努保佐流可母
筑波嶺に雪かもふらるいなほかも愛しきころが布ほさるかも
『万葉集』東歌（3351）

多麻河泊尓 左良須弖豆久利 佐良佐良尓 奈仁曾許能児乃 己許太可奈之伎
多摩川にさらす手作りさらさらになにそこのここだかなしき
『万葉集』東歌（3373）

東歌の一首目は女性が男性に対し詠んだ歌。「筑波嶺の辺りの桑で育った繭の着物は立派だけれど、貴方のお召し物を身にまといたい」という意味になろうか。多くの研究者が指摘しているようにこの歌は婚姻の儀式歌のようである。この歌には「或本の歌にはたらちねのといふ またあまた着欲しもといふ」と異伝がある。異伝に従い初句を「たらちねの」に置き換えると「母親の作った衣より貴方の衣を身にまといたい」と親を離れる意志が具体化される。これも布を母親の象徴として捉えている歌なのである。

二首目・三首目の東歌も同様の着想だ。三首目の「児」は子どもという説があるが、恋人と解したい。「さらす」は二首目の「ほさる」同様、働く女性＝布、を思わせるからだ。川に晒された布や山に積もった雪から女性を連想するのは、織りも染めも縫いも、衣に関する仕事は女性の仕事であったことから理解できる。更に、白さ、柔らかさ、肌ざわりのよさ、身にまとう暖かさなど、衣、布の持つ特性が女性（恋人・妻・母親）のイメージと結びつきやすいことにも連想の根拠となる。

東雲の朗ら朗らと明けゆけばおのがきぬぎぬなるぞ悲しき

『古今和歌集』恋三

通い婚の時代、衣服を重ね共寝した二人は、朝には重ねた衣を着て別れる。この情景を「きぬぎぬの朝」「きぬぎぬの別れ」というのは、単なる事実描写ではない切ない思いが含まれている。このように、衣と女性は一体であり切り離せないものであることが理解されよう。

こうした連想の資源が、時代や民族を超えて、人類の普遍的な体験に基づくものであるならば、異文化の世界にも見つけることができるであろう。

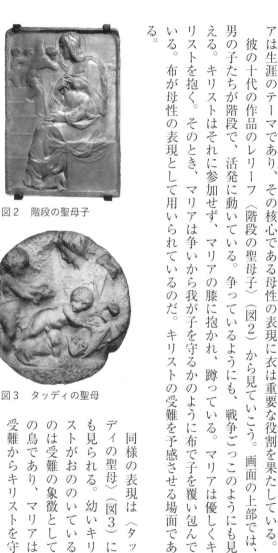

イタリア・ルネサンスの巨匠ミケランジェロ（1475-1564）にとって聖母マリアは生涯のテーマであり、その核心である母性の表現に衣は重要な役割を果たしている。彼の十代の作品のレリーフ〈階段の聖母子〉（図2）から見ていこう。画面の上部では、男の子たちが階段で、活発に動いている。争っているようにも、戦争ごっこのようにも見える。キリストはそれに参加せず、マリアの膝に抱かれ、蹲っている。マリアは優しくキリストを抱く。そのとき、マリアは争いから我が子を守るかのように布で子を覆い包んでいる。布が母性の表現として用いられているのだ。キリストの受難を予感させる場面である。

図2　階段の聖母子

図3　タッディの聖母

同様の表現は〈タッディの聖母〉（図3）にも見られる。幼いキリストがおののいているのは受難の象徴としての鳥であり、マリアは受難からキリストを守るかのように、布で鳥

図４　復活のキリスト

図５　復活のキリスト

とキリストを隔てている。マリアの母性の表現を布に託しているのだ（注2）。

〈復活のキリスト〉（図４）を描いた絵画の中でピエロ・デラ・フランチェスカのサンセポルクロ市蔵の作品は白眉といえよう。この絵は、堂々と勝利の旗を手にした威厳に満ちたキリストが描かれている。体には処刑の際の傷が生々しく見える。１４６０年から１４６５年の作という。

それに対し、ミケランジェロの〈復活のキリスト〉は趣を異にする。ミケランジェロの一連のデッサン〈復活のキリスト〉（図５）（ウインザー宮王室図書蔵・大英博物館蔵・ルーブル美術館蔵）も、棺から出現したキリストが描かれている。しかし、これらの作品はフランチェスカの作品のような、礼拝の対象としての威厳ある堂々とした像ではなく、ダンサーのように軽々と舞うように躍動している。

福音書には「キリスト処刑の三日後、墓を訪ねてみると墓は空で、天使がキリストの復活を告げた」とある。復活したキリストの姿を初めて見たのはマグダラのマリアで、そのときは既に墓から出ていた。従って、キリストが棺から出る姿は誰も見ていないのであり、その様子は画家の想像に委ねられる。

　フランチェスカの作品に対しミケランジェロの〈復活のキリスト〉には体に傷はなく、若々しい全裸である。

　注目すべきは、ミケランジェロの〈復活のキリスト〉には、キリストの背後には必ず布が描かれていることだ。キリストの遺体を包んでいたシンドーネ（聖骸布）であろうか。仏像の光背のように背後にあり、軽いベールのような質感は飛天の天衣のようでもある。復活の絵に因んで、棺を胎内に見立てれば胎盤のようにも見える。いずれにしてもキリストを優しく包むかのようにキリストに絡んでいる。それはあたかも、生まれ出たばかりのキリストを保護するような布であり、母性の象徴としての布であることは間違いない。聖画の常識に従えば、この布でキリストの下半身は隠されるべきであろう。男性を全裸で描くことはミケランジェロの好みであり、発注者とトラブルを起こしたことも知られている。この場合、ミケランジェロは復活を誕生として捉え、幼児のキリスト同様に無傷の裸体、生まれたままの姿で表現し、誕生に欠かせない母親の役を布に託したのである。

　このように布は東西を問わず女性を象徴するものであった。


　およそ芸術作品において女性は永遠のモチーフと云っても過言ではない。布のみならず水も女性を象徴する代表的モチーフである。ミケランジェロはシスティナ礼拝堂天井画〈水

図6　水の分離

図7　湖畔

の分離〉（図6）（1511-12年）において、神が空と水を分けた天地創造二日目の場面の主題の周りに、この世を構成する四大元素を表す四体の人物を描いている。火風土水の元素の内、水を表す人物像は、唯一女性的なポーズでベールのような布をまとっている。ここでは、水、布、女性が揃って一体を成す。

もう一例、衣と水が重なり女性を表現している例に黒田清輝（1866-1924）の〈湖畔〉（図7）を挙げたい。涼しげで柔らかな浴衣が湖水と一体化して女性らしさを表現している。ちなみに、モデルは当時二十三歳の照子夫人、背景は芦ノ湖である。

このように、人類にとって美の共有が可能なのは、美が時代・民族を超え、人類の普遍的な生命体験に根差しているからに他ならない。水を女性に結び付ける連想は、実に生命誕生の記憶の賜物であろう。

外界の事項・出来事が個人的体験の記憶から反応を始め、生命的体験の記憶に近づくにつれて普遍性は広がる。人類は生まれながらにして、生命体験に基づく連想の資源を共有している証である。
我々が自己の対義語として云う自然、世界とは、実は自己と完全外界（認識していない未知の世界）の間にある概念の世界なのである。人は外界に触れたとき、連想により自己の記憶と結び付けて概念を創造する。即ち、概念は、広げられた人類の記憶なのである。造形美はその記憶を色と形によって表現し共有を図る。（P15　連想の資源分類表 参照）
ユング派の識者ならば、この図の生命的体験の中に更に元型を設けるであろうが、テーマが広がり過ぎるため、本稿ではそこまでは触れない。

三　響合とその分類

詩歌・美術・茶の湯という広大な海の中には、様々な事象の中から独立した複数の素材を取り出し、素材の意味や形質を変えることなく、一つの作品の中に要素として取り込み、要素同士の響き合いにより新たな表現を生み出す手法が見受けられる。筆者はこの手法を「響合《きょうごう》」と名付ける。

この定義に適う同義語として、例えば和歌・連歌・俳諧における寄合・取合せ・疎句・二物衝撃、美術におけるValeur・Attribute、茶の湯における道具組、など該当しそうな専門用語がある。多岐にわたる分野を総合的に論じる立場には、分野を超えてこれらの用

内容／分野	意味の響合	質の響合	場の響合
詩歌	慣用的響合 (会意文字 対句 枕詞 縁語) 寄合 取合せ **疎句**	和漢朗詠集 共時 二物衝撃	*
茶の湯	道具組 (趣向 主題)	道具組 (形 色 質感 格)	見立て 銘 茶花
美術	玉虫厨子 詩画軸 Attribute	valeur 合成 surrealism collage	dadaism pop art conceptual art
その他	日本料理盛付け　服装		

響合《きょうごう》分類表

語を総称する言葉が必要となる。特定分野の用語を借りて、他の分野に適応すると不具合が生じる。例えば、調和を志向する連歌から「寄合」という語を借りて、調和など目指していないダダイズムに用いることはできない。そこで「響合」と造語した次第だ。

響合は素朴な手法であり、古くから生活の中にあった。広義に捉えるならば、服装のコーディネート、部屋の内装と調度品、日本料理の盛合せも含まれよう。

複数の構成要素による表現手法など、それぞれの分野での手法であり、他分野と同一視すべきではないと響合否定論が起こるかもしれない。しかし、各分野の響合は要素同士の関係・距離に共通した歴史的変遷が見られる。古代の響合は混沌とした世界に秩序を求めたため慣用性を重んじ、中世の響合は和の精神に貫かれ、近代に至っては「共時性」として要素の距離は遠ざかる。即ち、響合には、要素の距離に分野にかか（拘）わらず時代的変遷が認められる。これは、響合という統合的概念が確かに存在する証となろう。

多彩な分野、多彩な様相を成す響合を考察するに当たって、まず何らかの意味を表わす「意味の響合」と、意味付けのない「質の響合」、場を一つの要素とする「場の響合」に区分し、右記の「響合分類表」に整理した。以下、次章より各例を検討していきたい。

第一章：注

（注１）リチャード・O・プラム 著　黒沢令子 訳『美の進化』　白揚社

（注２）田中英道 著『ミケランジェロ』　講談社学術文庫 参照

第一章：画像出典

（図１）朝日新聞デジタル　２０２２年５月17日

（図２）～（図６）Wikimedia Commons（パブリックドメイン）

（図７）国立文化財機構所蔵品統合検索システム（https://colbase.nich.go.jp/）

第二章　詩歌と響合

和歌・連歌・俳諧などの日本の定型詩は表現手法において、響合と一物仕立に分けることができる。響合、即ち、様々な事象から複数の素材を取り出し、素材の意味や形質を変えることなく、一つの作品の中に要素として取り込み、要素同士の響き合いにより新たな表現を生み出す手法は、詩歌の世界では、寄合・取合せ・疎句・二物衝撃などの言葉で時代や詩形式に添って使われてきた。因みに、反意語である「一物仕立」は、一つの素材により詠み上げる手法である。

一　古代詩歌と響合

古代の詩歌における響合は素材の組合せがほぼ固定化しており、慣用的であることを特徴としている。響合と思われる会意文字・対句・枕詞などはその例である。こうした慣用的響合は、個性・独創性を重視する近代的芸術観では評価しにくい。

古代の慣用的響合は混沌たる外界に確固たる必然性を見出し、万人の共有を図る目的のために普遍性を重んじ、組み合わせる素材の固定化を図ったものではないだろうか。

①　会意文字

会意文字とは、六書（注1）の一つである会意、即ち既成の象形文字または指事文字を組み合わせ、新たな語義を表す文字をいい、筆者の知る限り最も古くからある響合である。会意文字は文字であるが故に、意味の響合、慣用的響合であることが要求される。「休」という文字は人＋木で、人が木陰で休む。「男」は田＋力で、耕作する男の力仕事、「鳴く」は口＋鳥で鳥が鳴く、といった具合に文字の組合せで新たな意味を表現する。

「美」という文字の成り立ちを探ってみよう。「美」は「羊」「大」から成る会意文字である。「大」は人が手足を広げた形で、大きくよく育った羊と解釈できる。同じく「羊」より成る「善」（羊＋詰）、「義」（羊＋我）が神意に関わるところから、「美」は神意に適った大きな羊であり、神への生贄、供物を意味する。「羊」と「大」は別の意味だが、組み合わせにより新たな意味を生んだ響合の例である。

②対句

山部赤人『万葉集』雑歌（923-5）（725年）
やすみしし 我ご大君の 高知らす 吉野の宮は
たたなづく 青垣隠り（山）川なみの 清き河内ぞ（川）
春へは花 咲きををり（春）秋されば 霧立ちわたる（秋）
その山の いやしくしくに（山）この川の 絶ゆることなく（川）
ももしきの大宮人は 常に通はむ
反歌二首
み吉野の象山の際の木末には（山）ここだも騒く鳥の声かも（朝？）
ぬばたまの夜の更けゆけば（夜）久木生ふる清き川原に千鳥しば鳴く（川）

山と川、春と秋が整然と対句になっている。この秩序を基に反歌一首目の「ここだも騒く鳥の声かも」は、二首目「ぬばたまの夜の更けゆけば」との対句として見れば、朝の表現であることは明白である（注2）。

本来、自然に対などはなく、それは一つの見方である。赤人が世界に秩序を求めた結果なのだ。彼の生きた奈良時代は律令制により全国に国司を置き統治しようとした中央集権の時代、シンメトリーを基調とした条里制の都市、全国に国分寺を配した古代網羅主義の旺盛な時代であった。官人である赤人はこの時代感覚を敏感に受け止めた。混沌としていた世界は対となって秩序づけられ、見えるものとして表現されたのだ。対という二つの事象を取り合わせ、秩序を求めた表現手法、これは当然響合に属する。

③ 枕詞・縁語

和歌の修辞技法の一つに枕詞がある。例を列挙するまでもなく、枕詞も二つの言葉を響き合わせた響合による表現である。枕詞は、詞とそれを受ける名詞が約束事として固定化されている。

地名に掛かる枕詞、「飛ぶ鳥の明日香」「八雲立つ出雲」「さざなみの志賀」など、地名に宿る地霊は枕詞により目覚め活性化する。

縁語も和歌の修辞技法の一つで、意味の上で関連する語を連想的に用いる。一単語に複数の縁語が認められるのは注目すべきで、古代の厳格な慣用性からやや解放的になった点は中世に近づいたことを意味する。例を挙げてみよう。
・浦-海松 海女 波　・傘-さす 雨　・袖-涙 結ぶ　・霞-立つ 春　・霧-晴る 立つ　・草-萌ゆ 枯れ　・衣-着る 裁つ 張る 妻　・竹-節 根　・緒-絶ゆ 弱る 長し　・露-命 消ゆ 置く 紅葉　・波-浦　・弓-張る いる 引く　・芦-よし ふし 根　・泡-消え 浮く 流れ　・糸-ほころぶ みだる　・岩-砕ける　・時雨-もみづ　・道-踏む　・鈴-振る 鳴る　・田-稲 刈る　・川-岸 深い　・月-雲 めぐる　・舟-渡る　・藻塩-こがる

学生の参考書のようになってきたが、いかに縁語が慣用性を保持し続けているか改めて確認したまでだ。

謡曲『紅葉狩』は「時雨を急ぐ紅葉狩、時雨を急ぐ紅葉狩、深き山路を尋ねん」で始まる。時雨や露は紅葉と縁語である。この要素は単に季節の一致という縁だけではない。

しら露の色はひとつをいかにして秋の木の葉をちぢにそむらむ
藤原敏行『古今和歌集』秋歌下（257）

「どうやって露が木の葉を様々な色に染めるのだろうか」という。この歌で明らかなように、当時、紅葉は露や時雨などの水分が葉を染めたものと考えられていたのだ。
誰しもが共有できる慣用的な縁語の成立は、調和を重んじる和歌の精神に合致する。

④和漢朗詠集（1013年頃）

藤原公任（966-1041）は漢詩・漢文・和歌を集め、朗詠のための詩文集を編んだ。『和漢朗詠集』は、テーマ別に漢詩と和歌を集めたアンソロジーである。上下二巻、漢詩、漢文五百八十八句（断章が多く日本人の作を含む）と和歌二百十六首より成る。

［上巻］

春　立春 早春 春興 春夜 子日付若菜 三月三日付桃花 暮春 三月尽 閏三月 鶯 霞 雨 梅付紅梅 柳 花 落花 躑躅 款冬 藤

夏　更衣 首夏 夏夜 納涼 晩夏 橘花 蓮 郭公 蛍 蝉 扇

秋　立秋 早秋 七夕 秋興 秋晩 秋夜 八月十五夜付月 九日付菊 九月尽 女郎花 萩 槿 前栽 紅葉附落葉 雁付帰雁 虫 鹿 露 霧 擣衣

冬　初冬 冬夜 歳暮 炉火 霜 雪 氷付春氷 霰 仏名

［下巻］

雑　風 雲 晴 暁 松 竹 草 鶴 猿 管絃附舞妓 文詞附遺文 酒 山附山水 水附漁父 禁中 古京 故宮附故宅 仙家附道士隠倫 山家 田家 隣家 山寺 仏事 僧 閑居 眺望 餞別 行旅 庚申

帝王附法王 親王附王孫 丞相附執政 将軍 刺史 詠史 王昭君 妓女 遊女 老人 交友 懐旧
述懐 慶賀 祝 恋 無常 白

どれも魅力に富む題である。この題を眺めるだけで宝石箱を覗くような喜びがある。和漢という異質文芸のアンソロジーは質の響合に属する。

『和漢朗詠集』は、藤原道長の娘威子入内の引き出物として作られた屏風絵に添える歌として撰集されたものを母体とする。後に公任の娘が道長の五男教通と結ばれる際の引き出物として、朗詠に適した和漢の詩文を書能で知られる藤原行成が書き、それを冊子にしたものである。

『和漢朗詠集』成立の頃には『古今和歌集』を始めに『後撰和歌集』『拾遺和歌集』と勅撰和歌集は編まれている。唐風文化を手本としていた奈良、平安初期の時代から、和漢響合の時代を象徴するかのようである。『後拾遺和歌集』の序文にも「やまともろこしのをかしきこと二巻にえわびて、物につけことによそへて、人の心をゆかしむ」と『和漢朗詠集』を評価している。

世のアンソロジーが全て響合になるのかと問われれば、否である。響合の定義を振り返ってみよう。「複数の事象の中から独立した複数の素材として取り出し、素材の意味や形質を変えることなく、一つの作品の中に要素として取り込み、素材同士の響き合いにより新たな表現を生み出す手法」であるならば、異質な二つの素材が意味や質を変えずにいる必要がある。

『和漢朗詠集』は漢詩と和歌という異質な詩が響き合い「人の心をゆかしむ」のである。以降、和と漢の対比による響合は詩歌の世界のみならず、絵画・書・茶の湯・建築などに大きな影響を及ぼしている。

この時代の和と漢は文化的にどのような関係であったのだろうか。

『源氏物語』乙女に「やまと魂」という言葉が初見する。漢学のような学問体系に含まず、生活上の知恵、才覚、思慮分別、躾、作法をも含めた幅のある概念である。漢に対する和のあり方が読み取れる。

これより前、村上天皇の意を受けて大江維時（888-963）が編んだ詩集『日観集』二十巻には、当時の和と漢の関係を鋭く批評した序文がある。

『日観集 序』大江維時
夫れ、遠きを貴び近きを賤しむは、是れ俗人の常情なして、
聡きを閉ざし明らかなるを掩うは、賢哲の雅操に非ず。
青山を望んで白浪に対するは、何ぞ風流異ならん。
糸竹を聞き以て煙霞を賞するは、既に声色同じ。
我が朝、遥かに漢家の謡詠を尋ね、日域の文章を事とせず。

『日観集』には、漢に対する和の確立が窺われる。遣唐使を廃止して以降のこの時代、かな文字・和歌・寝殿造り・女房文学などを例に国風文化の時代と云われてきた。近年の史学ではこの時代、以前にも劣らず唐物は輸入され、変わらず珍重されていたことから、決して唐風に代わって和風が流行したわけではない。和と漢はときには仮名文字のように、漢を変容させ和に消化させ、ときには『和漢朗詠集』のように、質をそのままに和と漢を響き合わせたのである。この場合、和と漢は優劣を競うものでもなく、溶けて一体となるものでもなく、響き合う関係なのである。『日観集』はその響合が成立する過程を如実に示している。この響合は後の世までも、真名文字と仮名文字、漢詩と和歌、漢画とやまと絵、唐物と和物、書体・書風における唐様・和様、建築における唐様・和様として日本文化を支える柱となる。

二　中世詩歌と響合

和歌とは漢詩に対するやまと歌のことを云うが、和歌の和とはそれだけの意味に留まるものではない。『古今和歌集 仮名序』に和の志向は述べられている。

力をも入れずして 天地を動かし 目に見えぬ鬼神をも あはれと思わせ 男女のなかをも
和らげ 猛き武士の心をも 慰むるは歌なり

和の志向とは、このように畏れ敬うべき自然との調和を図り、人間関係を和らげることに他ならない。戦乱の絶えない古代中世に、これほど平和な世界が他にあっただろうか。

① 定家と響合

ここに至って、どうしても避けられない壁に挑まざるを得ない。『新古今和歌集』を編んだ藤原定家という才能の傑作である。

春の夜の夢の浮き橋とだえして峯に別かるる横雲の空
藤原定家『新古今和歌集』春上（38）

『新古今和歌集』入集のこの歌は実体的な対象そのものを詠まず叙情的な言葉を幾重にも折り畳み、美しい調べの中に一体感を醸し出している。叙景といっても具体的な景色を詠んでいるわけではない。この叙景的な言葉の背後には次に記した多くの歌が潜んでいる。歌に潜んでいる文芸全てを列挙する力は筆者にはなく、右はその内の一部に過ぎないのであろう。

風吹けば峰にわかるる横雲の絶えてつれなき君が心か
壬生忠峯『古今和歌集』恋歌二（601）

『文選 高唐賦』

妾巫山の陽、高丘の阻に在り。
旦には朝雲と為り、暮れには行雨と為る。
朝朝暮暮、陽台の下あり。

〔朝雲暮雨の故事〕男女の情交のたとえ。中国の戦国時代の楚の懐王が昼寝をした際、夢の中で巫山の女神と情交を結んだ。別れ際に女神が「朝には雲となって、夕方には雨となってここに参ります」と言ったという。

「夢の浮橋」は『源氏物語』最終章の題名

旅の空知らぬ仮寝にたち別れあしたの雲の形見だになし

定家『拾遺愚草』逢不偶恋（270）

世の中は夢のわたりの浮橋かうち渡りつつ物をこそ思へ

出典未詳

雨となりしぐるる空の浮雲をいづれの方とわきてながめむ

紫式部『源氏物語』葵巻

はかなしや夢のわたりの浮橋を頼む心の絶えもはてぬよ

六条院宣旨『狭衣物語』巻四

「春の夜の……」の美しい調べに誘われてこの歌に近づくと、多くの古典の花が緑野の中に垣間見える思いがする。

これら多くの和歌・漢籍・故事の叙情を抽出し、一首の中に分裂することなく奏でる調べの美しさは驚嘆に値する。心情を語る言葉などどこにもない叙景歌にもかかわらず、喪失感漂う叙情は、淡い恋歌とも紛う余韻を醸し出す。

右の関連歌はこの歌とどこでどのように結び付いているのかを説明することは難しい。ただ、歌の奥に透けて見え、極めて重層的な躰をなしていることは確かである。

こうした特異な歌であるから、安易に響合と判断することには慎重でありたい。

歌意は「浮橋のようにはかない春の夜の夢から目覚め、空には横雲が峰に分かれてゆく」というのである。象徴的な「夢」と「雲」の素材であるが、縁は遠く、調和を求めた『古今和歌集』の慣用的響合とは明らかに異質である。素材の遠い縁は背後にある歌・故事の重なりが結んでいるのであるが、結び付きは明らかになっていない。次代の共時をも予感させるこの歌の手法は古典を熟知してこそ可能なのであろう。

見渡せば花も紅葉もなかりけり浦の苫屋の秋の夕暮

藤原定家『新古今和歌集』秋歌上（363）

無いものを詠み込むことが得意な定家だが、この歌ほどその特技を発揮した歌はないであろう。この歌の主題は寂しい苫屋の秋の夕暮ではなく、花・紅葉であったのでは。そんな気がするほど印象は花・紅葉が上回る。「なかりけり」と言い切れば、あるというより存在感が増すとの指摘は、既に何人かの論者の述べているところである（注3）。「花・紅葉」と「浦の苫屋の秋の夕暮」は素材の輪郭は「春の夜の…」のようにおぼろではなく明解である。観念的象徴的な「花・紅葉」は「浦の苫屋」と響合を成す。「春の夜の…」の喪失感は、「見渡せば」の歌には「なかりけり」と云いながら感じられない。この歌は、ないはずの花・紅葉が亡霊の如く浮かび上がる。この表現を成功させた手法は「花・紅葉」と「浦の苫屋の秋の夕暮」を要素とする響合であることは云うまでもない。

『源氏物語』明石の「はるばると物のとどこほりなき海づらなるに、なかなか春秋の花・紅葉の盛りなるよりは、ただそこはかとなう茂れる陰どもなまめかしきに」から想を得たというのがこの歌の解説の定石だ。都から離れた寂しい『源氏物語』の明石の海岸は定家が参考にした可能性は高い。しかし、この歌は特定の風景から離れた観念的な歌であり、必要以上に「明石」の風景を結び付ける必要はないだろう。

「春の夜の……」も「見渡せば……」も両者は異なりながらも、単に技巧的という評価では説明がつかない新しい感覚の響合ということでは一致する。

・珠光は

見わたせば花も紅葉もなかりけり浦の苫屋の秋の夕ぐれ

この心を用、これすなわちさびたる躰を専らに用ゆくなり。利休愛す。

小泉兵庫『無住抄』巻三

・紹鴎ワビ茶の心は、新古今集の中、定家朝臣の歌に、

見わたせば花も紅葉もなかりけり浦の苫屋の秋の夕ぐれ

この歌の心にてこそあれと申されしと也、花紅葉はすなわち書院台子の結構にたとへたり。その花もみぢをつくづくとながめ来りて見れば、無一物の境界浦の苫屋也。

立花実山『南方録』

『無住抄』や『南方録』を根拠に、この歌が侘茶の精神を表す歌であるかのような解釈が茶人の間で支持されている。しかしながら、この歌の本意は侘びの心などではないことは既に述べた通りだ。「花・紅葉」を唐物の世界、「浦の苫屋」を侘の世界になぞらえ「浦の苫屋」を賛美するのは茶人の都合に過ぎず歌意を損ねる。

②連歌の寄合

寄合とは多くの場合、集会・会合など意図して互いに近づき関わることをいう。特に中世の講・一揆・惣などの特定の組織をいう場合もある。

しかし、本稿では連歌用語としての寄合を取り上げたい。連歌は前句に対し、連衆が付句を連ねて詠む社交性の強い座の文芸である。

連歌用語の寄合とは前句の語句から連想する関連語句を付句に用い、句の連なりの根拠となるものである。寄合が連想ゲームに似る所以である。

連衆は寄合を仕掛けとし調和、ときには展開を図る。『源氏物語』『伊勢物語』『古今集』などが連衆共通の教養的基盤であり、寄合の出典となっている。

殊に『源氏物語』からの出典は多く、それらは「源氏詞」と云われる。ちょうど、やまと絵の分野で出典により「源氏絵」「伊勢絵」と云われるのと同様であり、王朝文学は日本の文化に大いなる存在であることを物語る。

準勅撰和歌集といわれる連歌集、二条良基 編『菟玖波集』（1356）より寄合の例を挙げよう。鴨長明と飛鳥井雅経が関東へ下向するとき、『伊勢物語』同様に宇津の山（現静岡県）を通ったときの歌である。

昔にもかえでぞ見ゆる宇津の山　鴨　長明
いかで都の人につたへむ　飛鳥井雅経

いうまでもなく、この付合は『伊勢物語』第九段の「駿河なる宇津の山辺の現にも夢にも人に逢はぬなりけり」を踏まえている。

前句の「楓」は「変わらない」の掛詞、付句の「伝へ」は「蔦」の掛詞である。長明の詠んだ前句から雅経は『伊勢物語』を連想し、「物語では業平がここで出会った都へ向かう修験者は、今は出会わない。どうやって都の人に文を渡そうか」と付句を詠み返したのである。

「宇津の山」と「つたへむ」が寄合になり、両句は見事な付合となっている。

連歌は連衆の創意から成る詩歌で、寄合は前句と付句を響き合わせる役割を果たしている。

寄合は連歌になくてはならないもので、一条兼良（1402-1481）は『連珠合璧集』にて事象を天象 光物 聳物 時節 など十八類に分け、例えば「月トアラハ 光 かげ 久方 秋の夜 友 心の隈 林 霜 雪…」などのように連想すべき寄合を列挙した手引書を編んだ。こうした手引は連想の固定化をもたらすようだが、社交性の強い連歌においては重宝で、連歌師は連衆の指導に役立ち、多くの連衆は古典を学ぶ手掛かりになったのではないだろうか。その点、兼良の仕事は有意義である。この時代、寄合の出典が伊勢・源氏など限られた範囲のものであることからも、響合は未だ古代の慣用的響合の尾を引いている。独創的な響合の出現は近世を待たねばならない。

③俳諧の取合せ・疎句

「取合せ」は森川許六（１６５６－１７１５）が芭蕉伝授として力説した俳諧の手法である。取合せは異質な複数の事象（素材）を取り合わせ、新たな意味を醸し出す手法である。取合せは俳諧における響合といったものであり、こうした構造の俳諧は頻繁に見られる。

かつて、芭蕉門下で取合せと一物仕立について論争があった。

『去来抄』によれば「許六曰く、発句は取合せ物なり。先師曰く、これほど仕よきことのあるを、人は知らずなり」「発句は題の曲輪を飛び出でて作すべし。廓の内にはなき物なり」と主題の遠縁に素材を求め組み合わせよという。このように、許六は複数（俳句は主に二つ）の素材を組み合わせて作ることを師芭蕉から受けた手法として推奨している。『俳諧問答 自得発明弁』にも、

「発句は畢竟取合物とおもひ侍るべし 二ツ取合て よくとりはやすを上手と云也」とある。

「とりはやす」とは「取り囃やす」であり、取合せの効果をいう。

『去来抄』には上記許六の説に対し、洒堂の説が紹介されている。

「洒堂曰く、先師、発句は汝が如く二つ三つ取り集めする物にあらず。こがねを打ちのべたるが如くなるべし、となり」と一物仕立を芭蕉の教えとして説いている。

なぜ、芭蕉は真逆の説を二人の弟子に授けたのか。この矛盾は去来が同書で解決している。去来によれば芭蕉は「門人に教え給ふに、あるいは大いに替りたることとあり」つまり、門人によって大きく指導を替えることがあるというのだ。両説とも芭蕉の真意と去来自身

は理解していたようだ。

「曲輪を飛び出で」た取合せでも、素材は全くの無縁というわけではない。対句的であったり、季節により場の情景を深める役割を果たしたり、遠くとも素材には縁ある響合により成り立っている。

許六、与謝蕪村の俳句に例を求めよう。

十団子も小粒になりぬ秋の風　許六
凩や何に世わたる家五軒　蕪村

許六の「十団子」「秋の風」の組み合わせ、蕪村の「凩や」「家五軒」の取合せは、自然と人手、雅と俗が響き合う響合の例である。響合の要素の縁が遠のくということは近世の詩歌に見られる傾向だが、素材の縁が遠いほど俳人の独創性が重要視されるのである。

疎句とは和歌・連歌・俳諧用語。鎌倉末期、藤原為顕『竹苑抄』に「疎句といふは、ひびきも通はず詞もきるれども、こころのはなれぬ歌也、これはよくよくてびろなる事なるべし」とある。

音調も語法も切れ目のある歌の上の句と下の句が音律も語法も区切れ、一見それぞれ別のことを表現していながら、内面において深く連関して「こころのはなれぬ」縁をいう。

勿論、響合の一例である。反意語の親句は、上の句と下の句の文意や音韻が続く句という。和歌の一句から五句まで文意が続く正の親句と、句と句が音韻で連接する響の親句に分けられる。心敬『ささめごと』では、付句において、親句より疎句が理想としている。

疎句は連歌・和歌・俳諧、取合せは俳諧と用例における区別はあるが、両者は響合の内容において明解な区別はない。何れも縁は明らかにあるが、慣用的響合に比べ縁が遠くなり、そのため変化に富み、近代の共時に近い位置付けとなる。

三　近現代詩歌の響合

時代は明治の世、文明開化の名の下に世の中が著しく変化した時代にあって、連歌・俳諧など社交性の強い文芸や茶の湯は消滅の危機を迎えた。この危機を敏感に感じ取り、花鳥風月を美辞麗句で飾り立て、優雅な調べで長閑に詠う和歌に終止符を打ったのが正岡子規（1867-1902）である。彼はリアリズムの風潮に揉まれ「写生」を合言葉に、和歌・俳諧を近代詩としての短歌・俳句へと導いた。

子規は「漢詩や西洋詩の長所を取り入れよ。「なだらかなる調べ」と「迫りたる調べ」を内容に合わせ使い分けよ。「雅語・俗語・漢語・洋語」を自在に使いこなせ。「生の写生」をめざせ」。『歌よみに与ふる書』にそう訴え、雅な『古今和歌集』の歌人を意識的に強く批判している。

①共時

響合は古代の慣用的なものから、調和を重んじ、縁ある言葉を用いた中世、更に素材の縁は遠くなる傾向にあった。そして近代、縁を見つけにくい素材の響合、即ち共時へと変貌を遂げる。

斎藤茂吉の歌一首を取り挙げよう。

のど赤き玄鳥ふたつ屋梁にゐて足乳ねの母は死にたまふなり

この歌は彼の第一歌集にして評価の高い『赤光』の「死にたまふ母」（全四部五十九首）の内の一首である。彼の代表歌と云っても異論はあるまい。斎藤茂吉（1882-1953）は山形出身の精神科医。青山脳病院院長にしてアララギ派を代表する歌人である。山形県南村山郡堀田在住の生母いくは大正二年（1913）五月逝去。当時茂吉は三十一歳、東京帝国大学医科大学助手であった。「死にたまふ母」は、茂吉が母危篤の報を受け生家へ急行するところから、看病、臨終、埋葬と一連の経過を辿る歌作である。『赤光』発刊は大正二年（1913）十月、母の死から数ヶ月後である。

今、「死にたまふ母」五十九首から七首を拾ってみよう。

其の一より

白ふぢは垂花ちればしみじみと今はその實の見えそめしかも

みちのくの母のいのちを一目見ん一目見んとぞいそぐなりけり
其の二より
はるばると薬をもちて来（こ）しわれを目（ま）守（も）りたまへりわれは子なれば
死に近き母に添寝（そひね）のしんしんと遠田（とほだ）のかはづ天に聞こゆる
我が母よ死にたまひゆく我が母よ我を生（う）まし乳（ち）足（た）らひし母よ
のど赤き玄鳥ふたつ屋梁にゐて足乳ねの母は死にたまふなり
其の三より
我が母を焼かねばならぬ火を持てり天つ空には見るものもなし

「死にたまふ母」は冷静な写生に基づき実相観入を旨とする茂吉の歌作にしては、顕わな感情表現が印象に残る。そして、感情の昂ぶりが頂点に達したとき、遂に母は死す。「のど赤き……」の歌は一連の歌の最も劇的な場面なのである。この歌の前の一首で「母よ」「母よ」と絶叫ともいえる歌を詠めば、臨終を迎えたこの歌に課せられた写生は、じっと悲しみに震える彼の姿か、なり振り構わず慟哭する姿が予感できよう。臨終を迎えたこの場面の上の句には、一連の歌の中で最も感情的な、悲しみに満ちた言葉が炸裂するはずだ。ところが、彼はそれを回避し、母の死とは無縁の梁にいた燕という別の事象に視点を逸らしている。人はあまりに怖い夢、悲しい夢を見たとき、辛さに耐えきれず、テレビのチャンネルを替えるように夢を切り替え、全く別の夢を見ることがあるが、真にそれに等しい。

母親の臨終の場に、本当に梁に燕が二羽いたのであろうか。そのような検証はあまり意味がない。母の死と梁にいる燕という二つの事象が同時であろうと異時であろうと、はたまた、燕など何処にもいなかったとしても構わない。響合する要素が、あたかも同時進行の中で起きているように描くことを筆者は共時と呼び、茂吉の歌はそれに当たる。彼にとって共時は写生に反するあり得ない情景でなければそれで良い。一首の中に実相、即ち詩的現実感として納まっていることに意味があるのだ。

母親の死と梁にいた燕という二つの事象を意味づけしようと、白楽天の「燕詩示劉叟」を持ち出したり（注4）、涅槃図の動物たちを表しているなどと後に茂吉自身が語ったとしても、こうした意味付けの中に調和を求め安堵を得ようとする美意識は、中世的和歌の名残に過ぎない。少なくともこの歌に対しそのような詮索、こじつけは歌をつまらなくする（注5）。むしろ、茂吉は余計な意味の生じない無縁な二つの事象を選び響き合わせたのである。茂吉は悲しみにくれる自らの姿を、心情とは無縁の二羽の燕で覆い、心情を暗示に止めたのである。この暗示にはこの歌に至る「我が母よ死にたまひゆく我が母よ……」までの一連の歌が深く加担している。「のど赤き……」の冷静な写生表現は下の句の「足乳ねの母は死にたまふなり」という淡々とした表現に受け継がれる。この暗示の成功により、悲しみを赤裸々に表現するよりも遥かに深い実相観入に到達している。恐らく、悲しみに暮れる自らの姿を露骨に詠めば、これら挽歌はいささか芝居がかった印象を残したかもしれない。ここに、近代短歌は共時を発見し、響合による表現は大きな転換期を迎えた。

茂吉は母の死から二ヶ月後の七月二十三日、更に意外な共時による歌を詠んでいる。

めん鶏ら砂あび居たれひつそりと剃刀砥は過ぎ行きにけり

この歌にも、めん鶏の砂浴びと剃刀砥とを意味付けようとする試論が点在するが、納得できる関係は見つかっていない。それは当然のことで、茂吉は無縁の事象を共時に仕立てたのだから。

この歌の表現も意味付けのない質の響合に属する。めん鶏の砂浴びと剃刀砥という質感の大きく異なる事象を響き合わせたのである。そこに意味はなく生物の温や軟と、刃物の冷や硬などの質の響き合いが見られ、大胆とも思えるコントラストに只ならぬ緊張を生んでいる。当然、二つの事象に意味による中世的調和を求めるべきではない。そもそも、同時に起きた出来事である必要はなく共時とした方が真実に近い。意外性のあるめん鶏の砂浴びと剃刀砥という取り合せに、歌としてのまとまり、一体感を持たせたところを評価すべきだ。「居たれ」という已然形による二句切れを「ひつそりと」で支えているところに工夫の跡が見てとれる。

共時とは同時進行する二つの事象を捉えたものではなく、一見無縁な事象に縁を匂わせ、新たな世界の広がりを求めた響合である。遠縁の響合を更に遠くしたのである。近世、近代の歌人は遠縁であればあるほど読者の想像力に多くが委ねられることに気が付いたのである。疎句は要素の縁が遠いが縁は確実にあった。しかし、共時をなす要素同士の縁ははっきりとは見えないほど遠い。この傾向は特定の意味を表現するものではなく、質の響合であるからなのだ。特定の意味を限定しないところに質の響合の価値がある。このように近代詩歌の響合は、意味の響合から質の響合へ移行する傾向が見られる。更にこの傾向は、現代に近づくほど多義化（多様な解釈が可能）するようだ。

共時をなす要素同士は全くの無縁なのであろうか。どこまで無縁と云えるのであろうか。次の実験で明らかにしよう。以下の共時と思われる茂吉の四首の上の句と下の句を入れ替えてみよう。稚拙な実験であろうが、無縁の真相を少しでも明らかにするための実験であり、茂吉の歌を冒涜するつもりは毛頭ない。

①たたかひは上海に起こり居たりけり鳳仙花紅く散りゐたりけり
②のど赤き玄鳥ふたつ屋梁にゐて足乳ねの母は死にたまふなり

③ゴオガンの自画像みればみちのくに山蚕殺ししその日おもほゆ
④めん鶏ら砂あび居たれひつそりと剃刀砥は過ぎ行きにけり

①＋②たたかひは上海に起こり居たりけり　足乳ねの母は死にたまふなり
②＋①のど赤き玄鳥ふたつ屋梁にゐて　鳳仙花紅く散りゐたりけり

③＋④ゴオガンの自画像みれば　ひつそりと剃刀砥は過ぎ行きにけり
④＋③めん鶏ら砂あび居たれ　みちのくに山蚕殺ししその日おもほゆ

勿論、これでは歌にならない。しかし、本歌の上の句と下の句が無縁で独立したものならば、何とか歌になりそうなものである。

ではなぜ歌にならないのか。その理由は調べが乱れてしまうことが大きい。更に、文法上難が出てくるものもある。更に四首とも視線が定まらない。しかし、最も注目すべきは、一首目、戦いと死が引き合ってしまう。二首目、赤色で余計な繋がりができてしまう。三首目ゴーキャンと剃刀砥の顔の類似を想像してしまう。四首目、雌鶏が蚕を喰ったのかと誤解しそうだ。

実験の結果は、筆者の嘆かわしいほどに貧弱な連想力の露呈となったが、それでも実験は十分成功したと思う。この実験で三つのことが分かった。
①人は誰でも二つの事象（要素）を連想により本能的に繋ごうとする習性がある。
②茂吉は無作為に二つの事象を取合せたのではなく、無縁の事象の中から、意にそぐわない意味が生じない要素を厳選した。
③歌に一体感（まとまり）をもたすために調べは重要な役割を果たしている。
近代短歌・俳句での響合表現では、素材の縁が遠ければ遠いほど成功する傾向がある。遠縁ほど意外性が刺激的で、読者の想像力は広範囲を泳ぐことができるからであろう。

茂吉以降、歌人は共時という要素の距離感を開拓した。この傾向は現代に至り、更に大胆に発展していく。

②二物衝撃

「二物衝撃」、この現代俳句用語は山口誓子が用いた語であるらしい。誓子以前からあった語なのか、彼がどのような意味として用いたのか真意は分からない。「取合せ」と同義のようだが、他にも現代俳句には、「配合」「モンタージュ」などとの同義語がある。用例から察して、これらは厳密な定義に基づく使い分けはなさそうである。ただ、現代俳句の方が俳諧の時代より素材が遠縁・無縁であるため、二物衝撃は意外性の強い響合をいうことが多い。それにしても、衝撃とは印象の強い言葉だ。

誓子はなぜこのような過激ともいえる言葉を使ったのであろうか。無縁の言葉が狭い俳句の中で衝突することを語ったのであろうか。誓子は「物と物との思いがけない結合」「物と物とを事づける」などとも語っているが、「思いがけない」を強調する言葉なのであれば、現代俳句の取合せを見事に言い当てた用語だと思う。誓子の真意は不明だが、筆者は共時の取合せの中でも、殊に意外性の強い取合せの場合に使いたい。

ここで、響合による表現を成す、疎句・共時・二物衝撃の定義を示しておきたい。というのも、先にも述べた通り、これら文学用語は用例を見る限り定義が曖昧であるからだ。従って、以下筆者の定義づけも、仮に本稿ではこうした意味で使うと云うに過ぎない。

【疎句】響合している複数の要素の距離は遠く直接結び付かないが、遠く深いところで結びつき要素に一体感がある。読者に想像を深める手法。

【共時】筆者の造語である。ユング心理学にも同様の用語があるが、今は切り離して使いたい。アララギ派的なあるがままの写生のように見せながら、実際は同時進行していたとは限らない事象の響合。あり得る現実感を保つ要素の距離。

【二物衝撃】疎句・共時よりも更に要素の距離は遠く、意味の上ではほぼ無縁と云える。衝撃的な意外性が面白さを生む。共時の「あり得る現実感」に対し、実景・実体験のない「あり得ない現実感」と云える。

　これらは何れも近代時な響合、即ち慣用的響合から解き放たれた、素材の距離が遠い詩歌である。疎句→共時→二物衝撃の順に響合を成す素材の距離は遠く離れていく。疎句、共時までは写生、即ち、あり得る現実感を保ち表現するが、二物衝撃はあり得ない現実感、前衛的現代詩歌に属する。

　　夢殿やクラゲの脚をくしけづる　　夜景
　　　　　　　　　　　　　　　　　『フラワーズ・カンフー』

　この句など右記の二物衝撃の定義に適う。小津夜景は１９７３年生まれ。フランス在住の女性俳人である。「夢殿」と「クラゲの脚」の響合は真に衝撃的である。

近代俳句を代表する中村草田男（1901–1983）の名句と比べてみよう。

降る雪や明治は遠くなりにけり　　草田男

この句は昭和六年、草田男三十一歳の作。彼が二十年ぶりに母校を訪問した雪の日に詠んだ句という。

「雪」と「明治」は無縁であるが、母校を訪れ二十年前の思い出に浸るとき、降る雪がしんみりと感傷を誘う。遠いところで縁が繋がる疎句である。

それに対し、夜景の句は二つの素材に縁が見えない。暗喩にすらなっていないのではないか。彼女は「最初に『夢殿』という言葉を使いたかった」と語っている。従って、クラゲも櫛づけるも夢殿に合わせて探した言葉なのである。全くの無縁であればこそ衝撃は大きい。この実景・実体験のない世界は、先の「①共時」で述べた「写生に反するありえない情景でなければそれでよい」という近代短歌の約束をも逸脱しており、次章「三 現代美術と響合」で述べるシュールレアリズムの条「ありえない現実感」に通じるものがある。

この句が「夢殿」でなければどうなるであろうか。またしても稚拙な実験を試みよう。他の言葉と入れ替えても品詞さえ同じであれば無縁なのだから文脈は変わらないのではないか、という浅はかな実験だ。作品をいじることは作者に大変失礼ではあるが、作品の良さを明らかにするため、お許し頂きたい。

金堂やクラゲの脚をくしけづる
議事堂やクラゲの脚をくしけづる

これでは分裂してしまう。排除した夢殿が恋しい。なぜ、夢殿でなければうまく響合しないのであろうか。それは夢という言葉の肌触りと、浮遊するクラゲの脚の質感が何となく響き合うからであることに気がつく。質の響合なのである。また、金堂や議事堂の方形のイメージより夢殿の八角円堂の方がクラゲに近い。近代歌人・俳人の二物衝撃は意味の上では無縁でも、肌触りという極めて微妙な質感で縁を保っている。議事堂に強い違和感を持つのは質感のためだろう。しかし、「マシュマロや…」では色、形、重量共に近すぎるのだ。ここで分かる通り、二物衝撃の要素は作者に厳選された新たな縁なのである。我々人類は響合の要素に、無意識に連想を起こし、縁を求める動物である。現代の歌人・俳人たちは、縁が離れているからこそ共鳴する要素があることに気が付いた。彼らは音色に耳を澄ませるように言葉の響合を聞き分けているのだ。

醫師は安楽死を語れども逆光の自轉車屋の宙吊りの自轉車
塚本邦雄『緑色研究』白玉書房

二物衝撃という手法は、二つの事象を縁で結び付けようとする人間の本能を巧みに操る。

安楽死と宙吊りの自転車は、共時よりも更に要素の距離は遠い二物衝撃である。縁は極めて遠くとも、強い結びつきが確実にある。走行を旨とする自転車は宙吊りとなれば成す術もなく機能が停止する。宙吊りの自転車は死を意味する。死は従来、悲しみ、儚さといった情を伴う重たい出来事として扱われてきた。この歌の死は情ではなく、機能停止という形で表されている点が現代的である。「ども」という逆説の接続詞は、死は機能の停止というだけでは語りきれない重さがあり、安楽死などないのだという強い主張が込められている。「逆光」は自転車の金属質を強調し、無機質な機能死を暗示する。意味は無縁でも、質において響き合う要素を厳選したところが、この歌の不思議な説得力となる。

調和を重んじた中世にはなかった二物衝撃は、不協和音をも和音の一つとして表現にしたのだ。こうした響合の展開は詩歌に止まらず美術にも見られるのである。

第二章：注

（注1）『説文解字』などに説かれている漢字の成立・構成についての六つ（会意・象形・指事・形声・転注・仮借）の区別。会意はその内の一つで、「日」と「月」を合わせ「明」とするなど、複数の文字を意味の上から組み合わせて新しい文字を作る法。

（注2）中西進『万葉集　全訳注原文付』講談社

（注3）塚本邦雄『定家百首』河出書房新社

（注4）白楽天「燕詩示劉叟」

梁上に雙燕有り　翩翩たり雄と雌と
泥を銜む兩椽の間　一巣に四兒生む
四兒日夜に長じ　食を索むる聲孜孜たり
青蟲捕へ易すからざるも　黄口飽期無し
觜爪弊れんと欲すと雖も　心力疲るるを知らず
須臾に千たび來往し　猶ほ巣中の飢を恐るるがごとし
辛勤三十日　母瘦せて雛漸く肥ゆ
喃喃として言語を教へ　一一毛衣を刷ふ
一旦羽翼成りて　引ゐて庭樹の枝に上る
翅を擧げ回顧せずして　風に隨ひ四散して飛ぶ
雌雄空中に鳴き　聲盡くるまで呼べども　歸らず
卻きて空巣の裏に入り　啁啾終夜悲しむ
燕や燕爾悲しむ勿れ　爾當に返って自ら思ふべし
思へ爾雛爲りし日　高飛して母に背きし時を
當時の父母の念　今日爾應に知るべし

（注5）『茂吉秀歌「赤光」百首』塚本邦雄　参照
『斎藤茂吉』西郷信綱　朝日新聞社　参照

第三章　美術と響合

かつて、自然美と造形美の優劣を主張する論争があった。ヘーゲルなどの人間を主体とする哲学者は造形美の優位を主張し、またその反論も当然あった。中には、廃墟の美こそ両方の美を兼ね備えたものだと主張する者もいた。

筆者はこうした論争に全く馴染めない。人類は当初から自然（外界）に対して美を感じていたわけではないからだ。従って、自然美など普遍的な存在ではない。

自然に対して人類は、畏怖→畏敬→美、と見方に歴史的変遷を経てきた。それに伴い、畏怖には呪術を、畏敬には信仰をもって対処し、志向を共有することにより社会を形成してきたのだ。そして、近代では物質と精神を分けることにより、物質研究を専門とする自然科学は飛躍的発展を遂げ、自然を美として捉える精神は芸術として百花繚乱の時代を迎えた。大まかにいえば、畏怖・呪術の時代は原始、畏敬・信仰の時代は古代 中世、美・芸術の時代は近代ということになろう。

古代から中世に至る日本美術の志向は次の四つに分類できる。

①現世志向（現世に真実を見出そうとする志向。秩序、権威を重んじ、国家鎮護仏教、儒教思想と 馴染みやすい）

例．奈良仏教美術・狩野派絵画

②来世志向（死生観の表現。来世の有様、現世との繋がりを表現。浄土思想と馴染みやすい）

例．浄土教美術

③隠遁志向（脱俗の表現。老荘思想、禅、無常観と馴染みやすい）
例：室町水墨画・茶の湯の美術
④風流志向（雅・粋・おかしみ・威風異体の表現。享楽的文化と馴染みやすい）
例：バサラ・カブキ・琳派・浮世絵の美術

作例の中には、複数の志向に跨る要素を持つものもあるが、ほぼ右記の志向の何れかに重心が置かれている。

一　古代・中世美術と響合

①アトリビュート（Attribute）

アトリビュートとはモチーフの人物、及び神を特定する持ち物・服装である。絵画の場合、背景に描かれた物・場も含まれる。人物の業績・性格をも表し、図像学において極めて重要なアイテムである。古代においては約束事などといわれるほど慣用的な人と物との響合の例である。

ギリシャ神話、ローマ神話、旧約聖書、新約聖書に代表的な例を拾ってみよう。

・ゼウス（全能の神）－雷　鷲　・テミス（正義の女神）－右手剣　左手天秤　・ミネルヴァ（知恵の神）－梟　・ポセイドン（海の神）－三叉槍　・イブ－りんご　・聖母マリア－白

図１　ポンパドール婦人像

図２　東大寺戒壇院四天王像

百合 赤い衣服 青いマント ・キリスト－十字架 ・洗礼者ヨハネ－十字架型の杖 ・ペテロ－天国の鍵

　これらの持ち物は人物の人格・人生を物語る重要な意味を持ち、神話での活躍を想起させ、作品による教義の伝道に欠かせない。

　アトリビュートの手法は神話画・宗教画に限らない。ブーシェ作〈ポンパドール夫人像〉（図1）は手にする書物や背後の書棚に置かれた百科全書により彼女の性格・教養が表現されている。百科事典は「世界を網羅できるのは神のみだ」としてある時期発禁処分になったほど、十八世紀の教会からは未だ歓迎されていない。ルイ15世の公妾、社交界の花であったポンパドール夫人は文化人を擁護するとともに、百科事典刊行を支持していた。

　仏教美術においても薬師如来の薬壺、象に乗る普賢菩薩はお馴染みである。如来は持物が少ない代わりに印相を用い意味を主張する。原則として、印相、持物には出典となる経典があるが出典が判然としないものも多い。

四天王像の持ち物は作例により様々のようだ。〈東大寺戒壇院四天王像〉（図２）を検証しよう。

・多聞天＝宝塔と金剛杵　・広目天＝筆と巻物　・持国天＝剣　・増長天＝戟。

戒壇院の四天王像は口を開くもの、硬く口を閉じるもの、遠くを見るもの、目を見開くものと相対的な変化を持たせようとする努力が認められ形に不自然さはない。極めて完成度が高く、天平彫刻の最高峰の一つに含まれよう。しかし、四躯の相対的変化は外見に限られ、顔の表情はそこまでには至らない。四躯の表情に気質の違いなどは認められず、同じモデルでポーズを変えたに過ぎない。気質にまで相対的表現が深まれば、質の響合としてより素晴らしい作品になったであろう。唐彫刻の起源はヘレニズム美術にある。その美術の影響下にある天平美術に、そこまでの表現を求めるのは酷であろうか。ここに国際文化としての天平彫刻の限界を感じる。

図３　玉虫厨子

②玉虫厨子

仏教美術の中で、礼拝の対象となる作例は、礼拝者から見えない背面、側面は比較的簡素な造形に留める傾向にある。多くの仏像の正面と背面を比べてもほぼこの傾向が当てはまる。しかし、〈玉虫厨子〉（図３）は、宮殿部、台座部共に背面には充実した漆絵が施されている。これは厨子が当初どのような場所で、どのように礼拝されていたのかを考える上で重要な特徴である。

台座部背面には、〈須弥山海龍王宮図〉（図4）が描かれている。高低、上下を表現した図像が多い厨子の絵画の中で、横に広がる海の図は安定感をもたらす。水墨画はもとより漢画において水平線が描かれることはない。この図も海の奥行きは山岳紋に縁取られ、水平線らしきものはない。

この山と海の響合は新たな意味をもたらす。山と水は、男性的なものと女性的なものを象徴し、水平の広さと垂直の高さは、グラフの縦軸と横軸のように、遍く世界を網羅しようとしている。

しかし、響合は須弥山と海龍王宮に留まらない。〈須弥山図〉のさらに上、宮殿部背面（図5）にはもう一つの山が聳えている。釈迦が『法華経』『無量寿経』などを説法した聖なる山、霊鷲山だ。山頂は三峰に分かれ、各山頂に多宝塔らしき塔があり、如来が一躯ずつ鎮座している。三峰に分かれた山頂は広く、それに比べて麓は狭い。我々が通常抱く裾

図4　須弥山 海龍王宮図

図5　宮殿部背面

広がりの山容とは大きく異なる。山裾が狭く山頂が広い三山形式は〈玉虫厨子〉独特のものではない。黄河の水源と云われる伝説の山、崑崙山に出来する。『山海経』『淮南子』『十洲記』（注1）などにその山容は書かれている。それらの記載を拾い集めれば、山頂が三方に分かれる、山頂が広くそれに比べ山裾が狭いという特徴がある。玉虫厨子宮殿部背面の〈霊鷲山図〉と一致することは偶然ではない。

こうした山容に西王母を描いた崑崙山は、山東省後漢の〈沂南画像石〉（図6）など漢代画像石に見ることができる。

崑崙山の特徴を踏まえ霊鷲山を描くことは、仏教思想を中国の伝統的な神仙思想・老荘思想に基づく図像に置き換えて表現しようとした試みと云える。筆者はこのような表現を格義仏教様式と名付けたい。〈玉虫厨子〉の絵画、飛鳥時代の仏像表現には仏教図像学だけでは解釈しきれない世界があるのだ。

図6　沂南画像石

格義仏教とは中国に仏教が伝わり、サンスクリット語で書かれた仏典を漢訳し始めた二世紀頃、主に老荘思想の概念を基に仏教の意味内容を当てはめていた仏典の漢訳活動をいう。「格義」という語は、四世紀初め西晋の竺法雅の伝記（『高僧伝』第四巻）に見え、この時代が格義仏教の云わば最盛期であった。「格義」

とは「教え（義）をあ（格）てる」という意味である。瞑想を意味する「守意」は老荘思想の「守一」になぞらえた言葉と云われ、般若経の「空」を老荘思想の「無」に、「涅槃」を「無為」に、「菩提」を「道」に、仏教の五戒（不殺生戒・不偸盗戒・不邪淫戒・不妄語戒・不飲酒戒）を儒教の五常（仁・義・礼・智・信）に当てはめるといった具合に置き換えて解釈しようとするものである。

五胡十六国時代の釈道安（312-385）は、仏典の独自性を重視し、次第に格義仏教は見直されることとなる。次いで後秦の仏典漢訳僧、鳩摩羅什（344-413）の出現で格義仏教は完全に終焉を迎える。

古代中国の仏教美術を大まかに様式区分すると、極初期の西方様式、六朝様式、隋・唐様式に区分することができる。この内の六朝様式は〈玉虫厨子〉を生んだ飛鳥様式（7世紀）の源流である。仏像の服装もインド・西域のものから中国式の服装へと移行した時代の様式である。この様式にはインド・西域の仏教図像を伝統的な中国の絵画図像に置き換えて解釈し表現する姿勢が見られる。仏典の解釈としての格義仏教の時代は既に終わっていても、造形は中国的仏教美術様式として長く続く。筆者は、この様式を格義仏教様式と名付けるに至った。格義仏教様式はヘレニズム文化を源流とする六世紀末の隋・唐様式の成立まで東アジアでは主流であった。

〈玉虫厨子〉背面は古代インドの伝説的な山、世界の中心を示す須弥山（Sumeru）より更に高い位置に崑崙山（霊鷲山）を描いている。しかも〈須弥山図〉は台座部だが〈霊鷲山図〉は宮殿部である。これを響合と捉えれば、中国文化と外来文化とのヒエラルキーが反映しての事ではないだろうか。〈玉虫厨子〉の絵画空間は奥行きに関心を示さず、画面の上下の位置関係には極めて重要な意味を持たせている。山の上に山を描く違和感はこの解釈により納得されよう。

格義仏教様式及び〈玉虫厨子〉については何れ改めて別稿で詳しく著したい。

③詩画軸

詩画軸とは十四世紀後半から応仁の乱以前まで禅林で流行した掛物の形式で、画面の下方に水墨画を描き、画題に関連する序文・詩文（漢文）を上部に書く絵画と漢詩との響合である。画題により詩意図と書斎図に分類される。禅林の最も充実していた応永年間（１３９４‐１４２７）に描かれた詩画軸を応永詩画軸という。その中の〈柴門新月図〉（図７）を見てみよう。

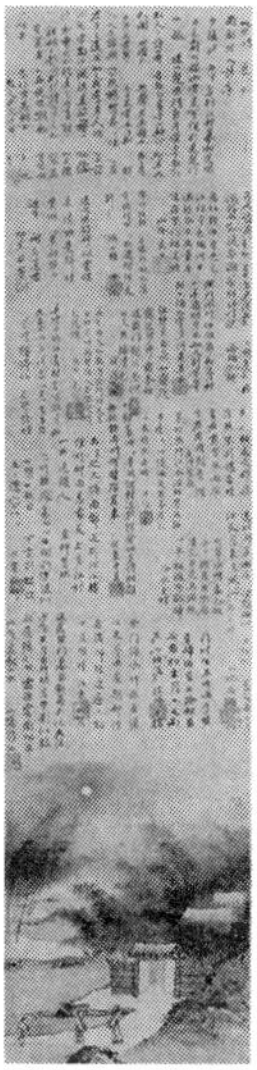

図７　柴門新月図

藤田美術館蔵〈柴門新月図〉は１４０５年作、杜甫の七言律詩『南鄰』（注２）に基づく現存最古の詩意図である。送別贈答を制作目的とし、玉畹梵芳（１３４８‐？）の序と大因良由・惟肖得巌（１３６０‐１４３７）等十八僧の賛が連なり、禅僧の結社的交友を物語っている。

この画の制作工程には、

㈠送別贈答の企画 ㈡画題の選定 ㈢詩意画制作 ㈣序・賛の執筆 ㈤贈答

以上の工程があったものと想像される。何れの段階にも高い教養と技量が要求される。㈤の贈答で企画が完結することは㈠の制作の当初からの目的であり、途中で中断することは、絵があっても賛があっても未完といえる。絵画・書の制作が最終的な目的でないことは応永詩画軸のあり方を考える上で重要である。

詩画軸は絵画からの連想により僧侶らが漢詩を詠み合う詩画形式である。〈柴門新月図〉の制作は他の詩画軸に比べ、最初の詩と最後の詩との間は短い期間に書かれており、送別の贈答という具体的な目的をもった制作の盛り上がりを感じさせる。いわば贈答という社交的な目的に結集した絵画と漢詩の響合である。

④同朋衆と梁楷画三幅飾り

同朋衆とは足利将軍家に仕えた唐物奉行で、唐物の収集・管理・研究（格付け）・表具・飾付けなど今日の学芸員のような仕事から、襖絵制作・作庭などの実技、将軍家の財政に当たっては画商のような仕事まで行っていたことが分かっている。彼らは相阿弥・能阿弥など「〜阿弥」と名のっていた。『君台観左右帳記』は彼らの記した座敷飾りの伝書で三部により構成される。第一部は六朝から元までの中国画人の品評、第二部は書院飾、第三部は茶湯棚飾・抹茶壺図形・土物類・彫物の図解である。

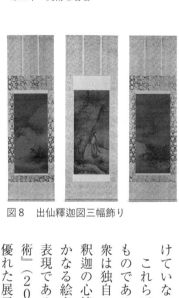

第二部の書院飾には押板に掛物三幅・四幅・五幅の飾り方が図入りで示されている。この内、三幅の例として、梁楷の〈出山釈迦図〉を中央にした三幅対に、押板に三具足を飾る様が記されている。更に、足利将軍家の蔵品目録『御物御画目録』には「出山釈迦 脇山水 梁楷」とあり、現東京国立博物館の〈雪景山水図〉の二幅を左右に〈出山釈迦図〉（図8）と三幅対として飾っていたと思われる。梁楷は南宋十三世紀の画家であり、『君台観左右帳記』には上位に評価されている。彼は細かな描写の山水画や袋人物と呼ばれる減筆体による人物画を得意とし、牧谿・玉澗と並んで日本の水墨画に与えた影響は多大なものがある。室町・桃山・江戸の漢画系画家の中で影響を受けていない画家はいないと云っても過言ではない。

図８　出仙釋迦図三幅飾り

これら三幅は本来三幅対ではなく、別々に描かれたものである。殊に右側の一幅は時代もやや下る。同朋衆は独自の解釈で表具を改め、下山した釈迦の姿と、釈迦の心情を表すかのような心の静寂を示す雪景の静かなる絵を左右に配した。これは響合がなせる新たな表現である。東京国立博物館の特別展『室町時代の美術』（２０２２）でこの三幅対は再現展示された。この優れた展示（飾付）に同朋衆にも東博学芸員にも賛辞を贈りたい。

室町時代にはこの他、公家様式、武家様式、禅宗様式を各階に施し三層とした鹿苑寺（金閣寺）の建築様式の響合。現存しないが、将軍家会所の襖飾りには、画題を素材として響合させたと思われる記録が残る（注3）。

二 近代絵画と響合

① 共時〈マネ〈草上の昼食〉について〉

図9　草上の昼食

合成という美術用語は合成写真としてよく耳にする。Photomontageの訳語である。複数の写真を一枚に焼き付け、あたかも実在した場面であるかのように構成する手法である。意外な人物が出会っていたり、あり得ない出来事が起こっているかのようなパロディーにも使われる。ときには政治的プロパガンダとしても……。

この合成（montage）の手法を漢字の会意文字から悟り、映像理論に取り入れた人がいた。ソ連の映画監督セルゲイ・エイゼンシュテインである。彼の代表作〈戦艦ポチョムキン〉（1925）はその後の映画に多大な影響を与えた。彼は物語を形成する映像に、直接物語に関係しない別の映像を挿入し、物語の時間的推移を追うに止まらず、例えば民衆が敵の攻撃で混乱するさなか、別の場のライオンの石像を挿入し恐怖を連想させるなど合成による新たな表現の幅を広げることに成功した。

　合成は近現代美術ではよく見られる手法だが、近代絵画ではマネ（Édouard Manet, １８３２-１８８３）の〈草上の昼食〉（図９）が先駆的役割を果たしたものと思われる。代表作〈草上の昼食〉は社会通念上あり得ない（あってはならない）場面を描き、むしろスキャンダルになることを目的にした節がある。現に〈草上の昼食〉に対するほとんどの評論は、この絵が発表された１８６３年当時のスキャンダルから話が始まっている。見るからに企みに満ちた図像がそうさせるのだろう。

　スキャンダルの原因は、二人の紳士と全裸の女性がピクニックをしている図像への倫理的観点からの批判である。当時は風紀の乱れとされ、ある者は激怒、ある者は嘲笑、またある者は当惑したようだ。倒れた籠からこぼれ落ちる意味ありげな果物や裸婦の脱ぎ捨てられた衣服も批判を勢いづけたことだろう。

　近年の美術史家は革新的絵画、新しい絵画の幕開けと評価する。その根拠は、それまでの裸婦は神話か宗教の世界、はたまた遠い異国の世界に限られるのが原則であっ

図10　裸体のマハ

図11　ヴィーナスの誕生

た。この原則を破ったことが、革新的とする根拠らしい。

しかし、神話や宗教と関わりのない裸婦の絵は既にあり（図10）、神話から取材した裸婦の絵は十六世紀以降になると神話としての意味は薄れ、むしろ裸婦そのものに美、エロティシズムを求めた絵画が数多く見られる（図11）。革新的という意味は貴族、ブルジュワジーが寝室を飾るために私的に発注したあぶな絵ではなく、堂々と公表した風俗画である点を評価したものであろう。

この絵の画題には確かにモラルに挑戦的な態度を感じるが、この批判をかわす手立てもマネは忘れていない。

この絵には人物が四人描かれている。遠景に位置し足を池に濡らしている女性と近景の裸婦。この二人は水浴の気配が共通する。男性二人は共にくつろいでいる様子だ。既に指摘されていることだが、手前三人の男女のポーズはラファエロの原画に基づくマルカントニオ・ライモンディの銅版画〈パリスの審判〉から採られたものだ。

さて、画面はピクニックの場面の設定である。しかしよく見ると〈草上の昼食〉と云いながら誰ひとりとして食事はしていない。そもそも、二人の紳士の正装姿はピクニックには場違いではないか。しかも、裸の女性を前にして無表情だ。裸婦と向かい合う右側の紳士の視線は女性から外れ、指し示す指は曲げられ誰も指していない。三人は近くにいながらも視線を合わせず会話している様子もない。

マネの他の作品、例えば〈鉄道（サン・ラザール駅）〉〈ベルト・モリゾの肖像〉〈フォリー・ベルジェールの酒場〉などマネの人物画の豊かな眼の表現は才能を感じざるを得ない。人物の瞬間的な表情には人柄まで、その人の人生までを描き切っている。その類まれな表現力を持ちながら左側の紳士の眼はただうつろで何も語っていない。意図的に語らせようとはしていないのだ。視線を合わせ語り合っているのは裸婦とこの絵を見ている貴方（観者）だけなのだ。この女性の眼は唯一生きており、いぶかしい眼つきで見る観者に「あら、何かご用なの？」と語りかけているかのようである。画中の四人はまるで同時にその場にいないかのようである。つまり四人の像を合成したのである。従って、この絵の試みは第二章　詩歌と響合で述べた「詩的現実感」「あり得る現実感」と同様であり、響合の手法である共時と一致している。

もし、四人が同時に草上にいて、二人の紳士が軽装で、まともに裸の女性に視線を注いだり、にこやかに声をかけ合ったり、あるいは女性が裸のまま楽しそうに男性と食事をしていれば、あまりに薄っぺらで破廉恥な絵画になってしまっただろう。マネは男女を同時空間に存在させないことにより破廉恥さを回避している。登場人物は草上という空間を同時に過ごさず、絵画空間の中で共時しているのだ。こうして、破廉恥さを回避した上で、適度に破廉恥を装ったのである。マネは人々の批判を予想し、いざとなれば反論できる要素を絵の中に仕込んでいた。その上で、人々の反応を楽しんだのであろう。

この絵画の合成という手法は後のコラージュ、シュールレアリズムなどに受け継がれ現代美術必修の表現手段となる。

② バルール（Valeur）

バルールとは色の響き合いのことで、色価と訳されているようだ。色と色との響き合い、即ち質の響合に属する。

キャンバス一面に赤い絵具を塗ると、画面は赤くなる。その赤い画面に青い絵具を置くと、我々の眼から脳に届く色は、赤は赤、青は青ではなく、色彩の響き合いが起こり、新たな色味として認識することになる。この色の響き合いがバルールである。音楽で云う和音に相当するのであろう。

絵画の修練として、デッサンとバルールは基礎として学ぶ課題であり、デッサンは形の把握、バルールは色の扱いの修練となる。ちなみに、画面の中でうまく響き合っていない色調、云わば、色の不協和音をハレーション（halation）という。

南斉（479～502）の時代、謝赫の画論『古画品録』にある「画の六法」は長らく中国絵画の評価基準であった。

気韻生動（生き生きした気の表現）
骨法用筆（確かな線描）
応物象形（対象に似せて描く）
随類賦彩（対象に応じた色彩）
経営位置（適正な構図）
伝移模写（古画の解釈と復元技術）

の六法である。

この内、骨法用筆・応物象形がデッサンに、随類賦彩がバルールに当たる概念であろう。

ちなみに、「画の六法」は謝赫以降も絵画の評価基準となり、各時代により解釈が微妙に異なる。この解釈の歴史的変遷が中国絵画史の骨子といっても過言ではない。筆者は、六法の順位・解釈・項目数は謝赫以前から形を変え論じられてきたと考えている。絵画と文字とは未分化であった殷、周時代、図像の共有を重要視していた時代ならば、単純化した復元しやすい線描が求められた。当初の伝移模写とはこうした事情の基に生まれた項目であり、模写の技術を評価する項目ではなかったはずだ。六法の中でも成立は最も早かったのではないだろうか。その後、文字と絵画が分離するに従って、徐々に順位を下げ謝赫に至ると思われる。中国絵画で、優れた臨模を本歌に準じて価値を認めようとする伝統はこうした事情の名残といえる。

十九世紀後半の印象派以降の画家たちにとって、色彩は単にモチーフを説明するための随類賦彩ではなく、色彩そのものを主張させようとする試みであった。彼らは、パレットの上で絵具をできるだけ混ぜずに、キャンバスに生に近い絵具を置き、絵具は観者の眼の中で混ざりバルールを起こし、明るい画面を保った。これを色彩分割という。絵具の色は響き合って色味を発し、ハレーションが生じれば、更にその上から別の色を置き調整を試みた。仕上がった絵の画面は原色がむき出しになった部分、筆の刷毛目の間から下の絵具が覗いている部分、生乾きの絵具の上を透明な絵具で覆った部分など多様な絵肌となった。

図12　マティス婦人

印象派の荒い筆さばきはバルールを操る手段ではないだろうか。絵画は平面芸術であることは承知しているが、印象派の色彩分割の様を眼で追ってみると、絵具を重ねた色味の出し方は立体芸術と云いたくなるものがある。これは色そのものをパレットの上で変質させず、画面の上で響き合わせ新たな色味を作る色と色の響合、質の響合なのである。

この手法を更に発展させたマティス（1869-1954）は形を平面的に単純化し、モチーフの本来の色などほとんど無視し、バルールを巧みに操り、リズムを画面にもたらした（図12）。

印象派、例えばルノワールは市民の幸福を讃え、明るい色彩の調和を求めたが、マティスの主題は静物でも肖像でもなく、色彩の響合そのものが主題となっている。しかもそのバルールは必ずしも古典的な調和の取れた響合ではない。モチーフの色から離れた強烈な色彩は不協和音のようでありながら不快和音ではない。

日本の近世でバルールと云えば江戸後期に流行したベロ藍が思い出される。ドイツで開発されたプルシアンブルーは「ベルリンの藍」が訛ってベロ藍と呼ばれ輸入された。葛飾北斎（1760-1849）の〈神奈川沖浪裏〉はベロ藍を使った版画の白眉と云えるだろう。ベロ藍は綺麗な色ではあるが発色のよさの為に主張が強く、他の色とのバルールが難しい、言わばやんちゃな色なのである。〈神奈川沖浪裏〉は他の色を抑えベロ藍を主体的に用いることによりこの課題を乗り越えている。琳派の鈴木其一（１７９５-１８５８）はベロ藍を用い、実景の色から離れ、従来の調和を壊そうとした絵師ではないだろうか。〈夏秋渓流図屏風〉（図13）はマティスより約一世紀も前の作品である。

図 13　夏秋渓流図屏風

③ コラージュ（Collage）

コラージュは近代美術と現代美術の間に位置する。それはピカソがちょうどその位置にいることを意味する。コラージュは本来「糊付け」の意味であり、雑誌や新聞紙、写真楽譜などなどの絵具以外のものを一画面に張り合わせ構成する絵画の技法である。絵具を用いた絵画の一部に、絵具以外のものを張り合わせたものもコラージュに含まれる。パピエ・コレ（papier collé）とも云われる。広義に捉えれば日本の貼り絵、ちぎり絵も含まれるが、ちぎり絵は響合からは外れる。響合に属するには〈バイオリンと楽譜〉（図14）のように雑誌や新聞紙などの文字が読めるもの、被写体が何の像なのか分かる写真であることが条件となろう。美術史

図14　バイオリンと楽譜

的にいえば、二十世紀初め、ピカソやブラックが用いたキュビズムの延長に位置する手法と云えるのである。

なぜ、コラージュはキュビズムの絵画から生まれたのであろうか。キュビズムとは視点を移動し切り取ったイメージの断片を再構成する手法である。視点の移動は二十世紀絵画の特筆すべき特徴と云える。その視点に雑誌や新聞紙、写真などが入り込む。それは自然と対峙し写し取る従来の絵画ではない。自然を失った人類は人工的なものと対峙して生きていることを物語っている。人工的な物は画家が再現する余地などなく、絵画の中でも外でもその物なのである。従って、日常空間にある様々な物と物とがその姿をとどめ、一画面に構成しているコラージュは響合の定義（注4）に適う。

三　現代美術と響合

本稿ではピカソ以降の美術の動向を現代美術とする。この時代、何を代表作品とするか、多様すぎて到底結論は出せない。ここに挙げたダダイズム・シュールレアリズム・ポップアート・コンセプチュアル アートを筆者は必ずしも現代美術の代表としているわけではない。単に、響合の例として挙げているに過ぎない。現代を代表する美術はもはや美術館や画廊にはないのかもしれない。

①ダダイズム（Dadaïsme）

ダダイズムは1910年代半ばに起こった芸術活動の一つである。当時「虚無主義的な芸術運動」などと評された。フランス生まれの美術家マルセル・デュシャン（Marcel Duchamp 1887-1968）は「ニューヨーク・アンデパンダン展」（1917）において〈泉〉（図15）という作品を出品した。彼は既製の男子用小便器にR. Muttと署名しただけのものを作品として美術館に展示したのであり、当然物議を醸した。反発、批判、無視、様々な評価を受けたことは当然であったのだろう。この冗談とも、暴挙ともとれる尋常ならざる作品をどう理解すべきか、いっそ無視すべきなのか。いや、無視ならばいつでもできる。もう暫くこの暴挙に付き合ってみることにしよう。

図15　泉

筆者はこの作品を美術館と便器、即ち物と場との響合と理解している。便器は美術館でなければ便器以外何物でもない。美術館に便器を展示することにより、美術家が本来向き合うべき自然を失った虚無感を表現したのである。人間の自己の外側、即ち外界は心に接している「概念」と、その外側に広がる、未だ認識されていない「完全外界」に分けられる。（P15：連想の資源分類表 参照）概念世界はよく世界とよばれ、完全外界は自然とよばれることが多い。現代は概念の層がいよいよ厚く、未知の完全外界が減少したかに思えるほどだ。現代人は既に出来上がった概念に囲まれて生活しており、自然、完全外界に接することは稀だ。画家は自然に自分を映し、絵を描いてきたが、自然を失った画家は存在証明に苦慮する。神を演出し、人々を同一志向に導く力も、用から解放された美を謳歌する魅力ももはやない。もうこれ以上、人間手によって作られた物（作品）で外界を埋め尽くすのはよそうと云っているようである。ここに、物と場との響合は成立し、オブジェという新たな造形への道が開かれた。

② シュールレアリズム（Surrealism）

シュールレアリズムは二十世紀に美術、映画など幅広く影響を与えた芸術運動であった。その広がりは、例えば１９７０年代日本の公募絵画展を見れば、多くがシュールレアリズムの亜流であったと記憶している。

サルバドール・ダリ（Salvador Dalí １９０４-１９８９）を見てみよう。筆者はダリを高く評価するものではないが、典型的なシュールレアリズムの絵画として取り上げる。〈記憶の固執〉（図16）では熔けた時計とカマンベールチーズ、〈目覚めの一瞬前〉では柘榴・虎・美女・魚・銃・象の響合で何を連想するのか。

ダリは無意識の世界というが筆者には作為の塊にしか見えない。複数のイメージを合成し、あり得ない現実感を表現している。この「あり得ない現実感」こそダリのシュールレアリズムなのである。先に述べた斎藤茂吉の実相観入は「あり得る現実感」「共時」「詩的現実感」であった。現代の美術や詩歌は響合の素材の縁が、共時より更に薄く距離を取る傾向にある。ここで注目すべきは、中世日本の詩歌の織り成す響合には『源氏物語』『伊勢物語』『古今和歌集』などの共有した出典があった。それは美術も同様だ。留守文様（注5）など出典の共有がなければあり得ない。それに比べダリの響合は作家があまりに個性を重視しすぎるため、自己の普遍的体験にまで辿り着くことは難しい。（P15：連想の資源分類表 参照）そのため、作者と観者は決別し、共有に至らない。分からないところが芸術と云わんばかりである。こうした芸術家の孤独な主張は、社会から離れ、迷子となった美の状況を物語っている。

図16　記憶の固執

③ ポップアート（Pop art）

ポップアートの起源は諸説あるものの、最盛期は１９５０年代末から１９６０年代のニューヨークとすることには異論なかろう。Popとは人気のある大衆の広告・宣伝物のことで

図17　ロバート・ラウシェンバーグ

あることから分かるように、もはや大衆消費社会の時代に人間を取り囲むものは自然でなく、商品・人工物である。商品・人工物に取り囲まれた芸術家が廃物や既製品を絵画空間に持ち込んだのである。これはダダイズムの物と場との響合を継承した表現である。それがためか、ポップアートはネオダダとも称される。

こうした動きの中から、ロバート・ラウシェンバーグ（Robert Rauschenberg １９２５-２００８）、アンディ・ウォーホル（Andy Warhol １９２８-１９８７）、ジャスパー・ジョーンズ（Jasper Johns １９３０-）の三人を取り上げたい。

ラウシェンバーグは廃物や既製品そのものを絵画に張り付けるコンバイン（Combine）という技法を用いた（図17）。１９６４年のヴェネツィア・ビエンナーレでラウシェンバーグがグランプリを受賞したことは、美術の動向がフランスからアメリカへ移ったことを意味している。これは同時に、美術が市場の対象となり、皮肉にも大衆消費社会に呑み込まれてしまったことをも意味する。ラウシェンバーグは後半、写真製版によるシルクスクリーンを用い、新聞、雑誌、ポスターなどの複数の写真を一見乱雑に画面に印刷し、一部手書きで着色する平面的なコンバインという手法を造り出した。これらの選ばれた廃物や写真は希少価値のある物ではなく、日常眼にする物ばかりである。その物どうしには意味における繋がりはない。物と物、物と場の響合である点はダダイズムと同様である。

アンディ・ウォーホルはポップアートの旗手と云われる。彼は商業デザイナーから出発し、キャンベルスープの缶（図18）、コカ・コーラの瓶、マリリン・モンロー、毛沢東、ミック・ジャガー、エルヴィス・プレスリー、モハメド・アリ…何れも新聞・雑誌でお馴染みの画像を取り上げ、シルクスクリーン印刷により色を変え幾度も制作した。彼の身の回りのありふれた画像を起こしての制作であることにポップアートとしてのアイデアがあった。

ジャスパー・ジョーンズは星条旗（図19）、ダーツの的、数字、合衆国の地図を描く。全て手描きであるところがラウシェンバーグやウォーホルと異なる。彼の絵画はモチーフに共通する特徴がある。彼がモチーフにしたものは全て人工の記号で、実物と絵画作品との区別はない。ホワイトハウスに掲げられた星条旗と彼が作品として描いた星条旗はどちらも星条旗そのものである。ダダイズム同様、これも、美術館と星条旗、物と

図 18　キャンベルスープ缶

図 19　星条旗

場との響合であることで作品になる。人間はついに描くべき自然を失ったとも、芸術家は自己増殖としての作品制作を放棄したとも、この先芸術は存在するのかとも、様々な虚無的思いを彼の絵は投げかけてくる。

ダダイズム・ポップアートなどの一連の流れを前衛美術と仮称しよう。これらは作品の複製が容易である。技量による制作というよりは、最初にアイデアを示した者に特許のような価値を認める世界である。ディレッタントたちは、「どこにも美はない」「あれは古典になりえない」と現代美術にソッポを向けるか、資本家として作品に投資をしていくかのどちらかである。ちょうどダダイズムの始まった第二次世界大戦後から、美術の中心地はパリからニューヨークに移っていった。豊かな消費社会を形成していたアメリカに拠点を移した美術界は投資の世界となったのだ。

勿論、美術と経済はいつの時代も繋がりがあることは確かである。しかし、社会と美術を繋げるものは社会に奉仕する用であり、用があってこそ経済が派生するのだ。美は社会の中で適材適所にあって初めて力を発揮する。従って、美は社会の一部であり社会と遊離した存在ではない。用から解放された自由な美を求める近代芸術至上主義は空論だったのである。

2022年、建設中の某県立美術館がアンディ・ウォーホルの作品〈ブリロの箱〉5個を3億円で購入したというニュースが話題となった。「こんなものが3億円?」一般県民が戸惑うのは当然だ。商品としての「Brillo」のパッケージと何ら変わらない段ボール箱が

「アートです」「3億円です」「世界的に有名な作家の作品です」「当美術館の目玉作品になります」と云うのだ。問題は個人コレクションではなく、税金によって成り立つ県立美術館だというところにあるのだろう。購入した側は、「話題性があり、国内外から人が集まる作品」と主張する。マスコミが取り上げたことにより、今のところ話題作りは成功しているようだ。しかし、県立美術館に相応しいのかと問われればいかがなものか。様々な意見があってよいが、「芸術だから」よいというのは間違えで、場に相応しい芸術かを問うべきである。芸術には用があり、この場合、県民に作品が馴染むかということになるだろう。あらゆる用から解放された絶対的芸術などないのである。芸術の名のもとに神の如く絶対視するのは間違いで、用の一部として美的内容を問うべきだ。小学校の教室に芸術だからと云ってモディリアーニのヌード絵画を掲げてよいはずはない。〈ブリロの箱〉を購入した側は、芸術至上主義の幻影に悩まされているように思う。

モネの「睡蓮」とモネの画集の「睡蓮」と、どちらが美的価値に富むのかは明らかである。ウォーホルの「キャンベルスープ缶」とウォーホルの画集の「キャンベルスープ缶」と本物の「キャンベルスープ缶」と、どちらが美的価値に富むのかは如何なる判定となろうか。筆者はポップアートを全面的に否定するつもりはない。現代という時代に興った必然性、新たな表現のアイデアは評価している。しかし、現代美術は、描くべき神や自然を失い、人々を同一志向に導く使命も失ったがために美的価値は薄く、作品の価値はアイデアの面白さと価格に求められる。

価格は有名であるか否かでほぼ決まる。当然そこには販売者の戦略が働いている。更に、作品は投資の対象ともなる。そうなると、美的内容を評価しての価格ではなくなっている。社会的役割を失い迷子になった美が資本に呑み込まれたのだ。これは近代芸術至上主義の敗北といえよう。

「開運なんでも鑑定団」(テレビ東京)というテレビ番組がある。日本人ならばだれもが知る人気長寿番組だ。一般人が所持する美術品・骨董品をスタジオに持ち込んで、いくらの価値があるのか専門家に鑑定してもらう番組だ。物品と所持者との関わりや思いも紹介されるものの、鑑定価格があらゆる価値に勝り、価格が価値の数値化となっているところがいかにも現代らしい。資本が美の価値を呑み込み、金額が価値を代弁する光景は残酷でもあり滑稽でもある。筆者は番組を批判したいのではなく、現代における美術品の価値のあり方を如実に示しているところに感心するのである。美に価格が伴うのではなく、価格が美の価値を定める、極めて単純化された価値観が万人の共有するところとなることは、偏差値が学力そのものと信じて疑わない教育の現状になにやら似ている。

室町時代、同朋衆は将軍家の所持する優れた宋元画を描いた画家たちに順位を付け『君台観左右帳記』の冒頭に記した。これにより、絵画の世界に順位という一定の秩序をもたらした。順位には今日から見ても確かな審美眼が認められる。これにより、美は将軍家の権威となり、唐物は威信材となった。不安定な政治情勢が続く中、唐物は次第に流出し、将軍家の財政の足しとなったのであるが、美があっての金銭的価値であり、金銭的価値が美を追い越すことはなかった。

現代作品の順位基準は価格であろう。作品を見る眼がなくとも、作品に対する思いなどなくとも、価値を共有できる仕組みがここにある。コレクターを顧客とした美術雑誌に「号×万円」と書かれた画家の紹介は、資本が美を呑み込んだ現状を物語る。人類を同一志向に導いて社会を形成してきた美は、近代芸術至上主義の基に、自由な精神を求め用から離れようとした。結果、美は社会から迷子になり、遂には近代の怪物たる資本に呑み込まれたのだ。

④コンセプチュアル アート（Conceptual art）

１９７０年代は、少なくとも冷戦下の西側陣営に属していた国々は自由であり、豊かでありながら不安な時代であった。殊に若者は漠然とした不安・不満に駆られ、エネルギーを向ける方向を模索していたように思う。

そんな時代の造形芸術はキャンバスを飛び出し、コンセプチュアル アート、ミニマルアート、アースワーク、モノ派など様々な前衛芸術が活躍していた。

本稿ではこれらの中からモノ派として知られる高山登（１９４４-２０２３）を取り上げる。但し、高山氏自身はモノ派を名乗っているのか、いないのか筆者は知らない。氏にとっては迷惑・不快であれば申し訳ない。

モノ派は土・鉄くず・石・水などの物質を常とは異なる構造・環境に置き、新たな質を表出させようとする試みと筆者は理解する。

その中にいて、高山は主に線路の枕木をほぼ定型のまま画廊・美術館・野外の展示会場に持ち込み作品とした（図20）。枕木の構成は何らかの具象を形作るものではなく、建築的な構造・木組みを成すものでもない。高山の枕木は一定の構成が認められても、機能を持たない構成で、あるときは無造作に積み上げられ、あるときは壁に立てかけられ、またあるときは画廊の床を刳り貫き垂直に立てられる。実用から解放することにより本来枕木の持つ質感を表出することに努めていると思われる。恐らく彼の作品が画廊ではなく線路の片隅に置かれれば、昔の沿線の風景を懐かしむこととなろう。作品としての枕木は枕木という要素と展示空間という場との響合により成り立つ作品なのである。質を変えずに、その物のまま特定の場に移すことにより物の機能を剥がし、新たな物として出合うことがモノ派に共通した特徴であるように思う。

図20　高山地下動物園

マルセル・デュシャンは既製品を美術館に展示し、物の意味を問うたが、高山は物の意味を剥がし、質そのものを見せようとした。両者共に物と場の響合であり、デュシャンが現代美術の父と云われる所以である。筆者は序において「どうやら人類は外界を概念として認識する動物であるらしい」と述べた。高山の作品は物を概念世界の外、完全外界に放

り出し、新たなものの見え方を探る仕事ではないだろうか。（P15：連想の資源分類表　参照）

第三章：注

（注1）崑崙山は（中略）上に三角あり。面ごとに方広万里。形は偃盆の如く、下は狭く上は広し。故に崑崙と曰う。山に三角有り。其の一角は正北にして、辰星の輝きを干す。名づけて閬風の顚と曰う。其の一角は正西にして、名づけて玄圃の台と曰う。其の一角は正東にして、名づけて崑崙の宮と曰う。『十洲記』より

（注2）杜甫『南鄰』

錦裡先生烏の角巾
　園に芋栗を収めて未だ全く貧ならず
　賓客を看るに慣れて兒童喜び
　階除に食するを得て鳥雀馴る
秋水わづかに深し四五尺
野航あたかも受く兩三人
白沙翠竹江村の暮
相ひ送れば柴門に月色新たなり

訳：錦裡氏は黒い頭巾をかぶり、園に芋栗を拾い集めて慎ましく暮らしている。そこに賓客がやってくると子どもたちは喜び、野鳥は人になれて餌をつつく。秋の川の水はわずか四・五尺の深さだが、そこに二・三人の人を乗せた小船が浮かぶ。白砂と青竹に囲まれて江村の日は暮れ、柴門まで相送れば月の光が出てきた。

（注3）『将軍家の襖絵』山口県立美術館 根津美術館 2022年 参照

（注4）【響合】きょうごう 様々な事象から複数の素材を取り出し、素材の意味や形質を変容させることなく、一つの作品の中に要素として取り込み、要素同士の響き合いにより新たな表現を生みだす手法。

（注5）【留守文様】るすもんよう 古典文学などを出典とし、人物を取り去り、持ち物、背景などを残して物語の場面を表す絵画手法。蒔絵などの調度品、小袖などの着物の文様に多く見られる。

第三章：画像出典

（図1）Wikimedia Commons（パブリックドメイン）

（図2）『奈良六大寺大観 補訂版10 東大寺 二』奈良六大寺大観刊行会 編、岩波書店、2001

（図3）『奈良六大寺大観 補訂版5 法隆寺 五』奈良六大寺大観刊行会 編、岩波書店、2001

（図4）Wikimedia Commons（パブリックドメイン）

（図５）Wikimedia Commons（パブリックドメイン）
（図６）『沂南画像石墓発掘報告』南京博物院 山東省文物管理処合 編、文化部文物管理局、１９５６
（図７）Wikimedia Commons（パブリックドメイン）
（図８）『室町将軍 戦乱と美の足利十五代』東京国立博物館 編・発行、２０１９
（図９）Wikimedia Commons（パブリックドメイン）
（図10）Wikimedia Commons（パブリックドメイン）
（図11）Wikimedia Commons（パブリックドメイン）
（図12）『ＢＳＳギャラリー 世界の巨匠 ミケランジェロ』美術出版社、１９９２
（図13）『日本美術全集13』辻惟雄 泉武夫 山下裕二 板倉聖哲 編、小学館、２０１３
（図14）『岩波世界の巨匠』ダニエル・ブーン 著／太田泰人 訳、岩波書店、１９９２
（図15）Wikimedia Commons（パブリックドメイン）
（図16）『岩波世界の巨匠』エリック・シェーンズ 著／新関公子 訳、岩波書店、１９９２
（図17）『西洋絵画の巨匠９ ウォーホル』林卓行 著、小学館、２００６
（図18）※著者実物撮影
（図19）『西洋絵画の巨匠９ ウォーホル』林卓行 著、小学館、２００６
（図20）ＡＲＴ ＯＳＡＫＡ ２０２１ホームページ（https://www.artosaka.jp/2021/jp/artwork/m32_04/）２０２３年10月５日時点

第四章　茶の湯と響合

茶の湯の起源はどこにあるのか。喫茶の起源を問うのではない。文化的分野としての茶の湯の起源を問うのだ。筆者は「やまと魂」に起源があるのではないかと考える。やまと魂と云っても、右に偏った国粋主義者の好む意味とは異なる。この言葉は既に第二章で少し触れたが、『源氏物語』乙女が初見のようだ。儒教や老荘思想などの、漢学を意味する漢才に対して、やまと魂とは実生活上の知恵、才覚、思慮、分別、才知、術、規範を云う。これより古い文献を探れば『日本書紀』に推古天皇を評して「姿色端麗進止軌制」とあり、「進止軌制」は「行動が理に適っている。振る舞いが乱れなく整っている。」と訳せるので、やまと魂に近い言葉なのかもしれない。しかし、飛鳥時代では漢に対する概念には至らない。やまと魂という言葉が生まれた平安時代、喫茶の習慣は未だ定着にはほど遠い。本朝意識に芽生えた十世紀後半から十一世紀頃、漢才に対する言葉としてやまと魂という概念が生まれた。それは室町時代、将軍家の威信材としての唐物茶に対して、実生活に則した草庵の茶が生まれたことに似ている。

中国美術史が品格を重んじる文人主導の教養主義であるのに対し、その影響を受けながらも、日本美術史は職人主導であり、作品も実生活を彩る工芸的要素が濃い。その生活に即した美はやまと魂という本朝意識が生んだものではないだろうか。やまと魂がなければ、日本の文化は中国文化に埋没し「漢詩と和歌」「漢画とやまと絵」「唐物茶と草庵の茶」などの比は成立しなかったであろう。

改めて、茶の湯とは何かを考えてみよう。「茶の湯とは茶を喫する中に、様々な文化的要素を取り込み、茶味を深める社交の場。」これで定義になるだろうか。茶の湯の要素である社交性、点前作法、道具組は、漢才が志向とする哲学より、やまと魂が発揮される生活上の才知といえる。後に論じる「和漢の境」も道具組の実践的秘訣を語ったものに他ならない。

一　連歌と茶の湯

連歌と茶の湯は分野こそ異なるが、胎（はら）を共にした双生児のように、次の五点で一致する。

①社交的：連衆、主客が一点に集中し一味同心を目指す。社交に重きを置く連歌会ならば、必ずしも文学的成果のみが目的とは限らない。茶の湯も同様である。

②表現志向：冷え枯る。心敬 宗祇 宗長などの有心連歌は云うまでもなく、連歌・能・茶の湯・水墨画に共通した美意識であることは注目に値する。

③表現方法：連歌は前句、付句の寄合の響き合いに表現を求め、連句に調和、ときには展開を図る。茶の湯の道具組は、複数の道具が集うことにより、質・色味・形・格・意味などを響き合わせ、調和を図り変化を楽しむ。優れた道具組は手柄（注1）として多くの茶人に評価され普遍化する。連歌も気の利いた寄合は受け継がれ慣用的に使われる（注2）。連歌には即興性があり、茶道具は取替可能である。共に機知による即興性を内在し、ゆらぎ・ずれを伴う。連歌・茶の湯、共に要素の響合により表現を成

す。完成しても完結せず、連衆や客の連想を促すところに不完全美といわれる根拠がある。遊戯性に富み、評価基準は「面白し」。

④共に戦乱の絶えない中世にあって、和の精神を基調としている。

⑤担い手は特定の階層に限定せず、力量に応じた関り方が可能である。

「冷ゆ」「枯る」とは何か。複数の古語辞典と用例を参考に語義を捉えてみた（注3）。

【冷ゆ】淡々とした中に、深い趣を醸しだすこと。

【枯る】余分なところがなく、熟練した芸の枯淡な味わい。「冷え枯る」「冷えさび」などともいう。

これらは連歌用語に思われがちだが、茶の湯・能・水墨画など中世芸道全般に用いられ、中世の芸道に共通する美学用語である。連歌はもとより、中世芸道共通の根本理念と解釈すべきではないか。以下、用例を挙げる。

尺八の能に尺八一手吹き鳴らひてかくかくと謡ひ様も無くさと入ひにひえたり

観世元能『申楽談儀』（１４３０）

これは言はぬ所に心をかけ、ひえさびたるかたを悟り知れとなり

心敬『ささめごと』下（１４６３）

農人ナドノヒエタル体スキ也

長谷川等伯『等伯画説』（1592）

闌是は又月日としなどのたけゆくこころ枯れて荒れたる位也

金春禅竹『歌舞髄脳記』（1456）

『等伯画説』は絵師長谷川等伯との雑談を支援者であった本法寺の日通上人が書き残したものである。等伯は能登の法華宗の仏画師であったが、上京して本法寺（法華宗）の日通上人の計らいで堺の町衆たちの所持する宋元画を勉強する機会を得た。右記は南宋の画家梁楷の絵に対する感想を吐露したもので、彼の感動を伝えている。

室町将軍家は、唐物絵画を闇雲に何でも所持したわけではない。「日本人の感覚に適ったもの」とよく云われるが、当時の言葉を用いれば、「冷え枯る」「冷えさび」た画を好んで受容したのだ。

「冷え枯る」「冷えさび」は連歌や草庵の茶に限らず、当時の日本文化に共通した好みであった。

草庵の茶の湯は冷え枯るる風情を重んじた。そして風情を求め備前焼・信楽焼を加えた道具組が流行したのである。

「冷え枯る」「冷えさび」という言葉は数として連歌論に多く残されているとしても、他の分野にも共通した美意識なのである。分野に跨る美学用語があるのは当然のことで、各分野を独立した専門分野として捉えることに無理があるのだ。それは分業、専門主義が高度に発達した近代的感覚に他ならない。連歌師が茶の湯をやって、茶人が水墨画を描いて、能楽師が連歌に通じて何の不思議があろう。道を究めるには才能・修行が必要であるとしても、この時代の各芸術的分野は多くの人を受け入れる広い門戸が開かれていた。時折、求道的精神が日本文化の根底にあるかのような論調が見受けられるが、それは近世からの傾向に過ぎない。そうした土壌の中で「冷ゆ」「枯る」などは特定の分野に限定されず育った美学用語なのである。表現形式こそ異なっていても行き着く心境は一致していたのである。それは、第三章冒頭で述べた「③隠遁志向」に含まれる。

二　道具組（意味の響合）

茶の湯では道具の持つ意味（形・図柄・伝来・銘・産地など）が連想を促し、趣向を表現することがある。

例えば、糸巻蓋置＋笹絵茶碗＋型物牛香合＋茶杓銘鵲で七夕、筆洗茶碗＋蔦茶器＋笈香合で蔦の細道といった具合である。真に連想ゲームのようだ。先の章で述べた通り、人は一つの要素に触れると連想を起こし、二つの要素があれば関連を求める動物である。その特性を生かし、茶の湯の道具組は諸道具の持つ意味を響合させ、年中行事・物語・文芸などを趣向として喫茶の中に取り込むことができるのだ。

また、掛物の禅語に対しては、本来の難解な意味を茶会で深く掘り下げるよりは、茶人は誤解を承知で平易な意味に置き換え用いる。その方が、より多くの人々の共感を得て茶会を楽しくする。こうした解釈を筆者は「易解」と呼んでいる。現在、手柄（注1）となっている易解の例を少し挙げよう、「無事」とは禅語として本来執着のない心を意味するようだが、歳暮の茶事に掛物や銘に取り上げ、何事もなく暮らせた年という意味に易解して用いられる。「明歴々」は本来真実の明解さを云うが、満月の明るさを思わせる語として易解されている。こうした解釈は誤解であっても茶室と禅語の場の響合として許されよう。易解は難解な禅語を身近に引き寄せ、茶を旨くする。

道具組で何よりも大切なことは、招く客に相応しい趣向を選ぶことである。あまりに主題に近い意味の道具で固めてしまうと、くどく説明的になってしまう。説明することと表現することは大いに異なる。遠すぎず、近すぎず、茶の湯の道具組は、短歌や俳句の取合せ・疎句などの響合に極めて似ている。

意味による道具組の例を挙げよう。

三月下旬の茶事、謡曲『桜川』（注4）をテーマに茶道具を組んでみる。棗や釜に網目文様のものがあれば、海、魚を連想させる。それは富を救う吉祥文様である。流水文様は川、淵、瀬を連想させ、それは時の流れ、無常を意味する。両者を揃えると共通項として『桜川』が浮かび上がる。桜の意匠の茶道具は多いが、多過ぎると諄く、説明的になってしまう。説明と表現は異なる。掛物や銘も主題から距離を取り「洗心」でよい。

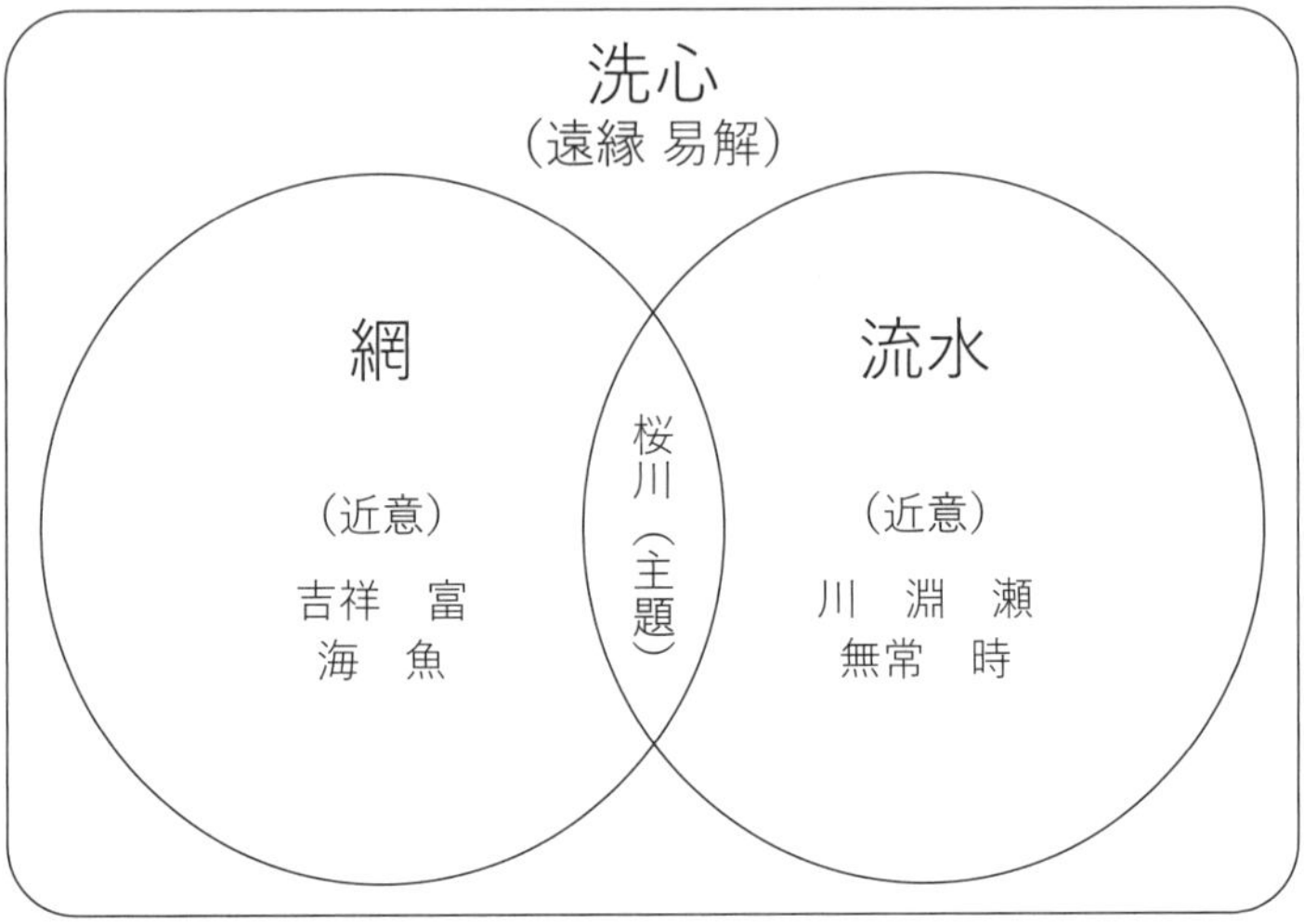

謡曲『桜川』の道具組による表現（注４）

このように、茶道具の意匠から連想し、何様々な事柄を表現することができる。茶の湯における意味の響合の例である。道具組の趣向は、主客に話題の提供を成す。

三 道具組（質の響合）

茶の湯の道具組は意味づけによる取合せだけではなく、質の響合により表現を生み出すことができる。

茶道具を並べると、当然色の響き合い、質の響き合い、形の響き合いが生じる。第三章で述べたバルールと同じように、異なる地域で焼かれた陶器は土味も、釉薬の色も異なり多様な道具組が楽しめる。

更に、茶道具には格という独特の概念があり、道具の格が道具組の秩序を形成する重要な役割を果たしている。道具の格は草庵の茶の出現が様相を複雑にしている。いやむしろ、草庵の茶が道具の格を生んだと云えるのかもしれない。様式と格が分離したのだ。格による秩序は現代の茶の湯においても生きており、守るも破るも理解しておく必要があろう。

室町将軍家の茶の湯は唐物を用いた茶の湯であった。唐物の美を理解し、所有することに威信材として政治的にも意味があった。仮にその時代の道具を真行草の様式に分類するならば、当然威厳ある真の格が高く、将軍家の唐物道具はそこに属したことだろう。即ち様式の順位と格は一致していたのである。ところが、草庵の茶がその秩序を崩すことになる。利休が大成したといわれる草庵の茶は、従来格が低いといわれていた草庵茶の道具、茶道具にも満たない見立ての道具に新たな価値を見出し、十六世紀後半、その隆盛と共に唐物の時代は終焉を迎える。『山上宗二記』（１５９０）の「一井戸茶碗　是天下一ノ高麗茶碗、山上宗二見出テ名物二十、關白様ニ在リ、惣テ茶碗ハ唐茶盌スタリ、當世ハ高麗茶盌、瀬戸茶盌、今焼ノ茶盌迄也、形サヘ能候ヘハ數寄道具也」という記載が当時の事情を証言し、多くの茶会記が実証してくれる。ここに、様式（真行草）と格の分離が生じたのである。様式と格の分離は数寄・草庵の茶が何たるかを如実に語っている。唐物の美は作品一品の中に完結する美であるのに対し、草庵の茶は道具組、即ち茶道具一品では完結しない響合による世界である。数寄・草庵の茶において、完成度の高い唐物を用いないのはそのためである。

現代の茶の湯で具体例を挙げよう。大寄せ茶会で濃茶席と薄茶席があった場合、濃茶は小間（小座敷）、薄茶は広間で行われることが多く、何ら異議を唱える人はいない。小間での茶は侘び道具、即ち草の道具を使うのが通例である。濃茶と薄茶を比べれば、問題なく濃茶の方が格は高い。小間や侘び道具など、本来格が低かった草のものほど、格の高い濃茶に使うということは、様式（真行草）では順位の低い草ほど格が高く、様式と格の分離、様式順位の逆転が見られる。この事態を理解し道具を組むために、筆者は茶道具の位置付けを、位・様式・格に分けてみた。

【茶道具の位《くらい》・様式《ようしき》・格《かく》】

〖位〗rank（中心となるべき道具の種類の順位。主役か脇役か。中心となるべき道具の順位）尺度：高⇕低、上⇕下

例．掛物－釜－茶入－茶碗－茶杓－薄茶器－花入－水指－香合－蓋置－炭道具－建水

順位は時代、亭主の茶の湯観により異なる。

既に十六世紀以降に「茶の遠近」として道具の主役は論じられている（注5）。

〖様式〗style（真行草。広間的か小間的か。カジュアルかフォーマルか）尺度：真・行・草

◎茶室：広間－小間（小座敷）◎点前：台子点前－長板点前－水指棚点前－運び点前

◎棚：真台子−行台子−長板−高麗卓−水指棚−卓−釣棚（台目席）
◎産地：唐物−高麗物−島物−和物−自作
◎名物指定：漢作大名物−大名物−名物−中興名物−名物並
◎陶磁器：青白磁−染付−施釉物−楽焼−焼締
◎茶入：茄子−文琳−尻膨−丸壺−大海−肩衝−鮟鱇−芋子
◎薄器：棗−中次−吹雪−見立て
◎茶碗：戔−天目−青白磁−珠光青磁−高麗茶碗−国焼施釉物−楽茶碗−焼締
◎花入：唐物−施釉和物−竹−焼締−籠　・置花入−掛花入
◎主菓子：羊羹　饅頭−金団−水菓子　棹物　◎干菓子：打物−煎餅　飴
◎菓子器：縁高−銘々皿−食篭−皿　鉢　◎干菓子器：手無−手付
◎塗：堆朱−朱塗−真塗−溜塗−蒔絵−黒塗−一閑張−木地
◎木材：紫檀−黒檀−鉄刀木−桑−杉
【格】class（同種茶道具の中で重きを成す順位。濃茶的か薄茶的か）尺度　高⇕低、上⇕下
◎掛物：・禅語：墨跡−一行−色紙−短冊・和歌：御宸翰−同詠歌懐紙−懐紙−色紙　歌切
−和歌短冊−俳諧短冊−扇面
◎高麗茶碗：・井戸茶碗−蕎麦茶碗−無紋茶碗−絵付茶碗−御本茶碗
◎楽茶碗：黒楽−赤楽−飴釉

◎茶杓：茶匠 家元 高僧作－数寄者作－身内手造－席主手造

◎由緒：・東山御物－柳営御物　・伝世品－発掘品　・拝領－伝来－所持

◎指定：国宝－重要文化財―重要美術品―県指定有形文化財－市町村指定有形文化財

◎制作：・茶匠 高僧手造－数寄者手造－職方造－席主自作　・見立て－注文（好物）－席主自作

◎銘：漢籍 禅語－漢詩－和語（歌銘）－季語－無銘

◎銘命者：茶匠 家元 高僧－数寄者－亭主

◎その他：・古物－新物　・本歌－写し　・窯元本家－傍系　・無紋－絵付

この茶道具の位 様式 格をいかに位置付け道具を組むかは茶人の力量となろうが、これらの概念を重視して道具を組むならば、次の要領をお薦めする。

まず自分の茶の湯観に照らして、道具の位を定める。位の順位は時代・亭主によって異なる。掛物が一般的に首位となったのは元禄時代以降で、古くは茶壷が一位であったようだ。茶杓は桃山時代には現代よりずっと下位であった。

次に、茶会全体の様式（真行草）であるが、様式を定めるということは、服装におけるカジュアルからフォーマルまでの調子を決めるのに似ている。真は制服、草は普段着である。茶会の趣旨などで様式を決め、可能な限り様式に添う道具を選ぶ。

格は位の高いアイテムほど格の高い物を選ぶ。例えば、好み物の小棚に唐物青磁の水指では色は映えても格が合わない。新物茶碗に古備前水指では格が合わない。樂茶碗に染付建水では様式が合わない。位、様式、格の順位を守ると安定した道具組となる。調和を重視した道具組の秘訣である。

但し、客に縁のあるもの、招いた客からの拝領品、などは破格の扱いをすることがある。

四　茶の湯における場の響合

①　見立て

見立てとは茶道具以外の物を茶室に持ち込み、茶道具として用いることである。機智が試され、即興性があり、意外性に面白さがあり、ときには侘びた風情の表現ともなる。最も亭主の力量が発揮されるのが見立てであると云われる。見立ては物と場の響合である。

「道具はあり合わせにせよ」という茶の湯の教えがあるが、これは草庵の茶において、高価なものや珍品を誇らしく見せるものではないという戒めであり、道具組に苦心し厳選しながらも、客に苦労を見せず、あり合わせのように見せよという意味と筆者は解釈する。茶道具の中に見立ての道具がさりげなくあれば「あり合わせ」として茶趣も深まる。

見立ての最も代表的な物に高麗茶碗を挙げる人もいるようだ。朝鮮の民具である高麗茶碗が日本の茶人の眼に適って使われたといわれる（注6）。しかし、井戸茶碗などの高麗茶碗は民の食器ではなく、日本の美意識に適うよう焼かれた可能性がある。詳しい研究が待たれるが、取り敢えず本稿では見立てから除外する。仮に、日本人の好みに制作されたも

図1　桂籠花入

のであっても、高麗茶碗の素晴らしさに異を唱えるものではない。
利休は見立てにも才能を発揮している。彼の代表的な見立てに、〈桂籠花入〉（図1）がある。桂川の漁師が使っていたものを花入れに見立てたものといわれている。当時、漁師が使う魚籠はその地方の形・編み方があったと聞く。唐物青磁の花入とは好対照の柔らかな質感と素朴な風情が印象的な掛け花入である。現代では、鮎釣りの解禁となる初夏に用いることが多い。

次いでよく知られた利休の見立てに〈釣瓶水指〉（図2）がある。この水指は見立てといっても、井戸の釣瓶をそのまま茶室に置いたものではなく、寸法など茶道具に適うように仕立ててある。

水指は見立ての多いポジションで、〈信楽焼鬼桶〉〈備前焼種壺〉などは民具からの見立ての水指であるという。

筆者は、これら水指は茶道具本来の水指の代わりに民具を見立て採用したのではないと考えている。そもそも初期草庵の茶において、茶道具としての水指などなく、必要に応じて使っていた民具（日用品）の桶が、いつしか茶の湯用の桶として使われ、更に使い勝手の良い大きさ形に茶道具として作ったのではないかと考える。茶道具としての水指は当然、風情、造形美が求められたであろう。道具は専用が常の消費社会とは違い、当時は兼用・見立てなど特別なことではなかったであろう。

その他、竹花入銘〈園城寺〉〈旅枕〉も、かよい筒（花を持ち運ぶための筒）の転用とすれば、見立ての例となる。更に手取り釜なども普段使いの民具からの転用とするならば、草庵の茶において茶道具と民具は、今日ほどの距離はなかったと思われる。

唐物茶といわれる室町将軍家の茶の湯は道具鑑賞することに他ならないが、草庵の茶、数寄は道具組という響合を楽しむことであった。

図２　釣瓶水指

利休に習い、その後も茶人たちの見立ては続くが、樂茶碗以降、江戸前期の茶道具は見立てに加えて茶人の美意識を直接表す好み物が流行した。見立ては風情の表現に適し、好み物は造形により茶人、流派の美意識を物語る。

江戸初期の茶人たちの美意識を端的に詠んだ作者不詳の狂歌が伝わっている。

織理屈、綺麗キッパは遠江、お姫宗和にムサシ宗旦

見事に江戸前期の茶人たちの美意識を云い当ててい

る。織は古田織部（1544-1615）、遠江は小堀遠州（1579-1647）、宗和は金森宗和（1584-1657）、宗旦は千宗旦（1578-1658）である。

従来、「織部は理屈っぽい、遠州は綺麗さび、宗和は雅、宗旦はむさ苦しい」と訳されてきた。この中で「織部は理屈っぽい」という訳に違和感を覚えるのは筆者だけではなかろう。

図3　織部手付水注

古語における「理屈」とは以下の意味がある。

㈠道理。殊更に議論を構えて言い立てる道理。こじつけた論理。殊更に主張すること。

㈡いろいろごたごたしている経過。いろいろあること。用例「ぜひ今月中に、いまの理屈を決めてくんなせへ」「ききなさろ、たまげた理屈よ」東海道中膝栗毛八中　東海道中膝栗毛四上「ときに今の損印の理屈はどうだろう」

㈢その他、遊郭の勘定。小言。

㈣歌舞伎用語三都の別「江戸荒っぽく、京情緒よく、大阪理屈っぽく」

以上の用例から、「理屈っぽい」と訳すのは適切ではなかろう。そもそも、〈織部手付水注〉（図3）や織部好の〈伊賀焼水指破れ袋〉（図4）を見てもどこにも理屈っぽさは感じられない。

この狂歌の「理屈」は殊更に誇張した表現、ごてごてした意匠という意味に捉えれば織部焼・織部好の美意識と一致し、遠州のキッパリとした綺麗さびなど他の茶人と対照的に織部の美意識が浮かび上がる。「織部焼はゴテゴテして、遠州好みは綺麗でキッパリしている。優美な公家好みの金森宗和、千宗旦の好みは野暮ったい」と筆者は訳したい。

この狂歌の作者は江戸前期の開放的な美意識を熟知した数寄者であろう。

②銘

俳句は世界で最も短い定型詩といわれる。しかし、銘はより短い詩ではないだろうか。ただし、銘が詩となるには茶室という場が必要である。銘は茶室でなければ単語に過ぎない。銘が場（茶室）を得ると、響合により銘は詩として響く。

図4　伊賀焼水指破れ袋

銘とは茶道具に付けられた固有名詞である。銘には所持者の名を付けた所持者銘と文学的な銘の風流銘に分類できる。

良い茶道具はその時代の長者・権力者のところに寄っていくものである。従って、所持者銘は新たな所持者が前所持者に匹敵する地位にたどり着いたことを物語る。また、所持者銘は元所持者の美意識を偲ぶとともに、道具の流転を感傷的に捉えることも可能にしてくれる。そうしたところに所持者銘の意義があるのではないだろうか。桃山時代以前は風流銘より重きを成す銘であったかもしれない。

風流銘は古典から取材した美しい和語か禅語が多い。漢籍・漢詩から取材したものもある。主に茶匠・禅僧・家元などが命名してきた。次の「風流銘成立年表」の通り、十五世紀中頃から風流銘が確認できる。しかし、風流銘の流行は江戸初期小堀遠州から本格的となる。江戸時代の武家は王朝文化への憧れが強い。主に勅撰集から取材した遠州の銘もその傾向にある。「風流銘分類表」参照

・風流銘成立年表
・1430永享二年四月二八日『看聞日記』「奥御会所御引物」「円壺 号安計保乃」
・1434永享六年二月四日『満済准后日記』「葉茶壷。九重ト号名物」
・1536天文五年正月六日『松屋会記』久政他会記四聖坊の会「天目夕陽ニテ御茶立」
・1537天文六年九月十四日『松屋会記』久政他会記 針屋浄貞の会「ミオツクシ茄子」
・1539天文八年正月八日『松屋会記』久政他会記 四聖坊の会「玉輿」（水指）
・1549天文十八年二月十一日『天王寺屋会記』宗達他会記 三好長政の会「松島」（茶壷）

・1549天文十八年十二月六日『天王寺屋会記』宗達他会記 下間駿河の会「翁」（茶壷）
・1551天文二十年十二月十九日『天王寺屋会記』宗達他会記 万代屋の会「投頭巾」（茶入）
・1555天文二十四年十月五日『天王寺屋会記』宗達他会記 万代屋の会「九重」（茶壷）
・1556年弘治二年三月一七日『松屋会記』久政他会記 万代屋の会「投頭巾…後ニ九重床ニ置ク」（茶入 茶壷）

・史料紹介
『看聞（かんもん）日記』別名『看聞御記』。伏見宮貞成親王（後崇光院1372-1456）の日記。別記十三巻を含み全五十四巻。応永二十三年（1416）より文安五年（1448）までの記録。

『満済准（まんさいじゅ）后（ごう）日記』醍醐寺座主三宝院住持の満済（1378-1435）の日記。

応永十八年（1411）から永享七年（1435）までの記録。

『松屋会記』奈良の塗屋松屋家、久政・久好・久重の三代の茶会記。天文二年（1533）から慶安三年（1650）まで百十七年間の記録。

『天王寺屋会記』堺の町衆津田宗達、宗及、宗及の子宗凡と江月宗玩（大徳寺一五六世）の茶会記。天王寺屋は屋号。天文十七年（1548）から元和二年（1616）までの記録。

茶道具の銘や茶花も響合に属するのかというほどの愚問はない。茶の湯そのものが、多様な響合で成り立っているからである。茶の湯とは陶芸・漆器などの工芸、文学、歴史などの響合を楽しむ場なのである。茶花も野にある花と茶室という場との響合といえる。「花は野にあるように」という茶花の理念は、響合の要素としての花を作為なくできるだけ手を加えずに茶室に持ち込むことを云う。

銘も道具組の一要素として、他の道具と響き合って生きている。茶の湯に文学的要素を持ち込む手段としては画期的である。現在は家元・僧侶の他、作家自身が銘を付けることがある。

銘は語義にのみ価値があるのではない。銘の命は語誌にある。言葉は生まれ育った生い立ちを味として今日に伝わる。語誌とは言葉の語源とお育ちである。例を挙げよう。「あけぼの」という言葉は明け方を意味する。しかし、それは単なる語義に過ぎない。「明けほのか」を語源とするこの言葉は一日の始まりを意味し、夜の終わりを意味する「暁」と異なる。また、枕草子の「春はあけぼの…」の連想は必修といえる。「明石」という銘も兵庫県明石市を意味するのではない。『源氏物語』明石を思うべきだ。都から離れた寂しさが漂う。『源氏物語』を起点として、多くの名歌が思い浮かぶ。そして、茶人は茶を喫するのである。銘の語誌に関しては、拙稿『茶の湯銘事典』（注7）を参照していただければありがたい。

根拠＼出典	形態				非形態	
	見立て	風情	形状	材質	由来	当て
古今	正木	細石	白菊	名取川	飛鳥川	省略
新古今	村雨	清水	苫屋	草の庵	熊野	
その他歌集	埋火	忘水	滝川	思河	遅桜→初花	
伊勢物語	昔男	唐衣	筒井筒	蔦の細道	九十九髪	
源氏物語	澪標	篝火	伏籠	野分	籬	
謡曲	鵺	弱法師	蟻通	一角仙人	俊寛	
漢語	河漢	不老門	存命	千声	荘子	
仏教語	地蔵	洗心	鷲の山	御水取	天龍寺	
地名	富士山	小倉山	寝物語	生野	有馬山	
人名	龍田姫	弁慶	与三郎	顔回	忠度	
一般名詞	有明	旅枕	恙無し	見努世友	木守	

風流銘分類表

銘は道具の何を根拠に付けられているのだろうか。筆者は銘の根拠を六つに分類した。

①見立て、②風情、③形状、④材質（産地）、⑤由来、⑥当て（特に根拠なし）

①は茶道具の色・形・景色からの連想、②は道具の持つ風情からの連想、③は特異な形状からの連想、④は材質・産地による命名、⑤は道具の由緒からの銘、⑥は道具とは関係なく、銘が先行し、道具に当てたものである。

更に銘の出典により分類すると、上の通りの表となる。

この内、幾つか解説を試みよう。

〈正木〉瀬戸正木手本歌　中興名物　根津

美術館蔵 遠州銘。茶入の黄釉の景色から「深山には霰降るらし戸山なる正木のかつら色つきにけり」よみ人しらず『古今集』を引く。

〈白菊〉一重切竹花入 藤村庸軒（1613-1699）作。花入の窓を裏側にも開けて掛け穴をなくし、「心あてに折らばや折らむ初霜のおきまどはせる白菊の花」躬恒『古今集』を引いて置花入の銘とした。他にも同じ落ちの庸軒作花入は〈遅馬〉〈駆けない〉〈旅衣〉「秋霧のたつ旅衣おきて見よつゆばかりなる形見なりとも」能宣『新古今集』などがある。

〈苫屋〉大名物唐物文琳茶入 徳川美術館蔵 遠州銘。その侘びた風情から「見渡せば花も紅葉もなかりけり浦の苫屋の秋の夕暮れ」定家『古今集』を引く。

〈澪標〉中興名物。織部焼茶入。遠州銘。澪標とは舟に水深を知らせる目盛りを打った杭のこと。茶入の胴に縦に並んだ点文様を見立て『源氏物語』澪標 第十四帖を引いた。

〈御水取〉東大寺修二会の二月堂お松明で使用した竹で作った茶杓。素材からの銘。

〈弱法師〉千宗旦作竹茶杓。弱々しい風情から能の演目を引く銘。根津美術館蔵。この銘の解釈は拙稿『折々の銘』弱法師参照。

〈鵺〉道入作。赤樂茶碗。胴に大きく刷毛目のような黒い斑紋があり、頼政の鵺退治の怪雲に見立てた表千家六代覚々斎原叟による銘。

〈生野〉中興名物。丹波焼茶入。丹波の名所を引いての遠州による銘。

〈恙無し〉竹茶杓の中で筒が失われた物。半分に割れた共筒を固定できるよう鹿革で結べるようにした物。こうした茶杓に筒がないことを逆手に取り、銘「つつがなし」とした。世に数本あるようだ。

〈有明〉竹茶杓。片桐石州作。白竹と煤竹の斑紋を有明の雲に見立てての銘。

〈伏籠〉ふせごに落しを入れた竹花入。『源氏物語』若紫 幼い若紫は伏籠に飼っていた雀に逃げられ泣きわめく。小袖など着物の模様にも転がった籠と雀の留守文様として見られる。

〈筒井筒〉井戸茶碗。個人蔵。秀吉の小姓が粗相して名物の井戸茶碗を割ったとき、細川幽斎が「筒井筒 五つにわれし井戸茶碗 咎をば我に 負いにけらしな」と詠んで秀吉の怒りを鎮めたという逸話から引いた銘。

この他、欠けた茶碗の銘には〈馬蝗絆〉茶碗を継いだ鎹をいなご＝馬蝗に見立た銘。〈家継〉〈瀧川〉（瀬をはやみ…われても末に）〈与三郎〉（切られ与三郎、傷だらけ）〈東海道〉（五十三つぎ）〈悪太郎〉（生傷が絶えない）〈愚息〉（後つぎ）〈十文字〉（接ぎ跡の形）〈駿馬〉（よくかける）〈砧〉（音がひびく）〈響の灘〉（ひびき）〈富士の高嶺〉（語り継ぎ言ひ継ぎいかむ）〈十六夜〉（少し欠けている）〈岩うつ波〉（くだけてものを思ふころかな）などがある。

銘は、文学を道具組の一つとして取り込むには画期的方法である。更に、〈恙無し〉〈筒井筒〉のように、ネガティブな形状を逆手に取り評価を高める力が銘にはある。銘は位・格の高いものほど付きやすい。御本茶碗に古くからの銘がないのは御本茶碗の格を物語る。

五　珠光の言葉

珠光（1423‐1502）は奈良称名寺の僧。それ以外、ほとんど実体の分からぬ茶人である。にも拘わらず、利休が私淑したことにより侘茶の祖といわれ。茶の湯の世界では、利休と共に聖人の如く評価されている。

①和漢の境

珠光に関する数少ない資料の中で「和漢の境を紛らわすこと、肝要肝要」とは彼の言葉としてあまりにも有名である。これは珠光の弟子といわれる大和の国人、古市播磨澄胤に宛てた一文、『古市播磨法師宛一紙』、通称『心の文』の一節であるが、その内容は草庵の茶の起こりを理解するうえで極めて重要である。にも拘わらず、解釈は必ずしも一定していない。まずはこの資料から解釈を試みよう。段落ごとに訳文と注釈を付ける。以下、本稿ではこの資料を『心の文』と通称を通す。

『古市播磨法師宛一紙』所在不明

古市播磨法師　　珠光

この道、第一わろき事は、心の我慢・我執なり。功者をばそねみ、初心の者をば見下すこと、一段勿体無き事どもなり。功者には近つきて一言をも歎き、また、初心の者をば、いかにも育つべき事なり。

◎訳：茶の湯の方法において、何よりも避けるべきことは、驕（おご）り独りよがりである。達人を妬み、初心者を見下すことはもっての他であろう。達人に近づき、一言でも教えを乞い、また初心者を手助けすべきである。

注：従来「歎き」を「世を歎く」「嘆かわしい」、の歎くと捉える訳が多いようだ。例えば、「巧みな人に接して、自分の未熟さを嘆き、また、初心者には修業の助けをするべきだ」といった訳である。しかし、この場合は下記の用例のように、「切に訴えて頼むこと」「歎願」と訳したい。

・例：天地を嘆き乞ひ祷（の）み幸（さき）くあらばまた還り見む志賀の韓崎

『万葉集』巻十三（３２４１）

◎訳：天地の神に嘆願して無事であったならば再び来て見ることもあろう この志賀の唐崎を

・例：世の中にさらぬ別れのなくもがな千代もと嘆く人の子のため

『古今集』雑歌上（９０１）

◎訳：永久の別れなどないのがよい。母の命が千代にあるように願う。私の為にも。

・例：蘇武、いかにもして、漢朝へ帰らむとのみ歎けども胡王許さねば叶はず

『平家物語』巻二

◎訳：蘇武「どうしても漢に帰らなくてはならないと願っても、胡王が許さないので叶わない」

その他同様の例は以下にも見られる。

・『平家物語』五 早馬・『曽我物語』三・『船弁慶』・『世間胸算用』四・一

この道の一大事は、和漢の境を紛らわすこと、肝要肝要、要心あるべきことなり。

◎訳：茶の湯で最も大事なことは、唐物と和物を響き合わせ、調和を図ることである。これを肝に銘じ心せねばならない。

注：これまでの訳は、「和物道具と唐物道具の違いを目立たなくし渾然一体とした境地とすることである」「流行の道具を用いることに執着するな、和漢の違いを気にして囚われるな」「唐風の茶を和様趣味で中和し、両者を融合して新風の茶趣をつくり出す」などの趣旨で訳されてきたが、本稿の主題の一つである「響合」をご理解いただければ、唐物と和物との響合という手法を語っていることは明白であろう。意味においても、質においても道具の響き合いこそ道具組の命そのものなのである。

また、当時、ひゑかるると申して、初心の人躰が、備前物、信楽物などを持ちて、人も許さぬたけくらむこと、言語道断なり。

◎訳：さて昨今、冷え枯れるなどと云って、初心者が備前焼や信楽焼などを用いて、誰も認めていないのに巧者を気取るなど言語道断である。

注：「冷えかる」とは「余分なところがない、淡々とした深い味わい」の意。連歌用語であると思われがちだが、このように茶の湯・能、更に絵師の長谷川等伯も唐絵の評価に用いた言葉であり、連歌に限られることではない。当時の隠遁志向による中世芸道全般で育った風情を表す言葉と云うべきではないか。「たけくらむ」とは、「高位に達する」の意で本文では転じて、「高位を気取る」の意。

枯るるということは、よき道具を持ち、その味わいをよく知りて、心の下地によりて、たけくらみて、後まで冷え痩せてこそ面白くあるべきなり。

◎訳：枯れるということは、良き道具を持ち、その味わいを知り、磨かれた鑑賞能力を基に到達した者の枯淡の境地である。そこにこそ面白さがあるのだ。

注：「よき道具を持ち」ということは、当然、彼は良い道具を持っていたのであろう。その道具とは唐物か備前・信楽焼か。双方を含むのであろうが、この場合は特に後者を思っての主張であろう。彼は唐物から備前・信楽焼まで良き道具を鑑賞し、

唐物は基より焼締（注8）には焼締の美を理解した上で用いよといっているのである。分相応の茶の湯の道を説いたのである。その心は続く一文からも窺える。

また、さはあれども、一向かなわぬ人躰は、道具にはからかふへからず候なり。いか様の手取り風情にても、歎く所、肝要にて候。

◎訳：とはいうものの、そこまで良い道具を持てない者は、道具の格を張り合うべきではない。手取り釜のような道具であっても、道具組に生かそうとすることが肝要だ。

注：彼にとって和と漢の道具は響合の要素としていかに生かせるかが重要であった。手取り釜とは手付きの釜のことである。釜の中では格が低く、恐らく、茶道具というより民具（日用品）に近いものだった。そんな道具でも味のある手取り釜を選び、道具組（響合）により、面白く見せることができるのだ。格の高低は道具の良し悪しとは無関係である。草庵の茶における道具組とは、冷えかる趣・風情を道具の響き合いにより表現することに他ならない。

「からかふ」＝張り合う。「歎く所」＝道具組の中で生きるよう願うこと。格の秩序の中で生かそうとすること。

ただ、我慢我執が悪きことにて候。または、我慢なくてもならぬ道なり。
銘道にいわく、心の師とはなれ、心を師とせされ、と古人もいわれしなり。

◎訳：それには、驕り独りよがりに陥ってはいけないのだ。しかしまた、茶の湯はどこかで自分を信じ、意を決しなければ何もしないで終わってしまう。先達の名言に「自分を信じて進み、自分を省みろ」とある。

注：謙虚であることと積極的であることは矛盾する場合がある。茶の湯の場合も、客を招く自信があり過ぎても、なさ過ぎても困るのである。自信がなくとも、どこかの時点で意を決する必要がある。

②その他の珠光の言葉

珠光の言葉はこの他にも断片的ではあるが、聞き伝えとして残っている。

『禅鳳雑談』永正九年（１５１２）11月11日の条 金春禅鳳周辺 談 藤右衛門尉 記
珠光の物語とて、月も雲間のなきは嫌にて候。これ面白く候。

◎訳：雲間に覗く月を眺めるのは面白い、満月のような（完結した）月は好まない。

注：月に已の心情を映すことは古くから見られ、西行も得意だった。それは鎌倉・室町の歌人にも引き継がれる。珠光も当然先人の歌・随筆を読んでいたであろう。この珠光の言葉もその流れの中で理解すべきである。彼のこの言葉は隠遁志向を宣言したに過ぎず、直ちに茶道具に結び付ける必要はない。満月が唐物、雲間の月が侘数寄の喩えとする説は的を射ているようで、珠光＝茶という専門家的概念は、左記の文人たちと引き離す結果になってしまう。芸術分野を専門主義的に区分するよりは、珠光と当時の歌人とは同じ志向であることを重視すべきではないだろうか。以下の、珠光が影響を受けたであろう先人の歌・言葉を見れば単なる道具組を語った言葉ではないことが理解できよう。

参考㈠ 薄雲のただよふ空の月影はさやけきよりもあはれなりけり

後鳥羽院『風雅和歌集』（1348）

◎訳：薄雲のかかった月は鮮明に見える月よりもしみじみと風情が感じられる

注：筆者の知る限り、この歌が雲のかかった月を愛でた歌の初見である。

参考㈡ 花は盛りに、月は隈なきをのみ、みるものかは。雨に対（むか）ひて月を恋ひ、垂れこめて春の行（ゆく）衛（へ）知らぬも、なほ、あはれに、情け深し。咲きぬべきほどの梢、散り萎（しお）れたる庭などこそ、見どころ多けれ。（中略）花の散り、月の傾くを慕ふ習ひはさることなれど、殊（こと）にかたくななる人ぞ、この枝、かの枝散りにけり。今は見どころなしなどは言ふめる。

兼好『徒然草』第一三七段（１３３０）

◎訳：花は満開の時、月は雲のかからないときにだけ、見るものなのであろうか。雨の夜に月を慕いすだれの垂れる室内にこもり春が移り行くのも知らずにいるのも、しみじみとして情趣深い。今にも咲きそうな桜の梢、花が散りしおれ残る庭などにこそ見所が多い。（中略）花が散り、月が沈みかけるのを惜むのはもっともなことだが、その中でも特に情趣を解さない人は「この枝も散ってしまった。今は見るべき価値がない」などと言う。

参考㈢雲間の月を見る如くなる句がおもしろく候。（中略）八月十五夜の月のようなるは、好ましからず候。

心敬『心敬僧都庭訓』

◎訳：雲間に覗く月を眺めるような句は面白い。中秋の名月のような（完結した）句は好まない。

注：以上、先人の語る月の美を見れば、珠光の「月も雲間のなきは…」の言葉は、茶道具の比喩と云うよりは隠遁志向的心境として理解する方が自然である。

次に世にいう余情体、不完全の美を見つけた先人の言葉を挙げよう。

参考㈣言わぬ所に心をかけ、冷え寂びたるかたを悟り知れとなり。境に入りはてたる人の句はこの風情のみなるべし。

心敬『ささめごと』（１４６３）

◎訳：境地に至る歌は、気持ちの全てを言葉で言い表さないで、淡々と詠むものだ。

注：『心敬僧都庭訓』とも心敬（１４０６-１４７５）の言葉。彼は室町時代中期の天台宗の僧、連歌師。正徹の弟子。余情体を言い当てた言葉。ここでいう余情体とは、世にいう不完全の美、完成された姿を暗示し、それ以上は手を加えない表現をいう。比喩的表現による「ゆらぎ」、「ずれ」、「枯る」「冷える」につながる。こうした美を語ったものは、鎌倉時代にも散見する。

参考㈤ 羅の表紙は、疾く損がわびしきと人の言ひしに、頓阿が羅は上下はつれ、螺鈿の軸は貝落ちて後こそ、いみじけれと申し侍りしこそ、心まさりして覚えしか。一部とある草子などの、同じやうにもあらぬを見にくしといへど、弘融僧都が、「物を必ず一具に調へんとするは、拙き者のする事なり。不具なるこそよけれ」と言ひしも、いみじく覚えしなり。

すべて、何も皆、事のとゝのほりたるは、あしきことなり。し残したるをさて打ち置きたるは、面白く、生き延ぶるわざなり。内裏造らるゝにも、必ず、作り果てぬ所を残す事なりと、或人申し侍りしなり。先賢の作れる内外の文にも、章段の欠けたる事のみこそ侍れ。

兼好『徒然草』第八十二段（1330）

◎訳：「薄い織物を貼った冊子や巻物の表紙はすぐ破損して困る」とある人が言ったところ、頓阿（1289-1372）が言った「薄い織物の表紙は上下の部分が擦り切れて、布がほつれ、螺鈿を施した巻物の軸は、螺鈿が取れてしまった方が、特に味わい深い」という意見は、立派だと感心する。一揃いの冊子などが同じ体裁でないのをみっともないと言うが、弘融僧都が、「物を必ず一揃いにしようとするのはくだらない人のすることだ。不揃いなのがかえって面白い」と言ったのも、素晴らしいと思われる。（弘融僧都＝仁和寺の僧。兼好交流あり）

「何事も全て、物事の完全に出来上がったのは、良くないことである。やり残した事をそのままにしておくことは面白く、そのものがずっと生き延びることなのである。ほっと息がつけることとである。内裏を造るときでも、必ず、作り終わらない所を残すことになっている」と、ある人が言っておられた。昔の賢人の書物にも章段の欠けている事がずいぶんあるものだ。

参考㈥ 金にて茶の湯の道具の物語、細々被申候。数寄の方は、備前物の割れたるには劣り候べく候。

金春禅凰『禅凰雑談』永正一三年（1516）2月17日の条

◎訳：茶の湯の分かった者は、立派な唐物胡銅の茶道具よりも備前焼のひび割れた物を好む。

注：不完全の美は余情を醸し、趣・風情の表現につながる。永正年間に既に、後に侘び道具と云われる欠けた道具が好まれていたことを証言するこの文は、珠光没後十余年、既に数寄者がかなりいたことを想像させる。『山上宗二記』には珠光の跡目として宗珠（珠光の養子）・十四屋宗悟・大富善好・藤田宗理・誉田屋宗宅・竹蔵屋紹滴・武野紹鷗、更に鳥居引拙などの名が連なる。十六世紀前半、即ち千利休（1522－1591）前代のことである。

珠光の言葉を更に続ける。

珠光の云はれしは、藁屋に名馬つなぎたるがよしと也

山上宗二『山上宗二記』（1590）

◎訳：珠光が云うには「藁屋に名馬をつないだのがよい」ということだ。

注：利休の弟子、山上宗二が書き残した一説。この文には、次の『枕草子』第四十五段が下地にあったのではないか。道具組の心得として読む前に、清少納言に対する反論として読んでみる方が面白い。美的価値の時代的な変遷が読み取れる。

参考㈦にげなきもの。下衆の家に雪の降りたる。また月の差し入りたるもいとくちお

し。月のいと明かきに屋形なき車にあめ牛かけたる。

清少納言『枕草子』第四十五段（1001）

◎訳：似つかわしくないもの。庶民の粗末な家に雪が降った様子。そんな家に、月明かりが差し込んでいるのも残念。月が明るい夜に、粗末な荷車に上等な牛を繋いでいるのも似つかわしくない。（飴牛＝飴色の毛並の牛。上等な牛）

注：従来、名馬を唐物、藁屋を和物の喩えとして道具組の心得として読まれてきた。「和漢の境を紛らわすこと」と同義ということになる。しかし、宗二にそのような思いがあったとしても、それは一つの解釈であって、珠光自身が茶の湯の道具組を語ったものなのかは分からない。『枕草子』の反論をも含めて茶の湯や連歌の響合を語ったものなのかもしれない。珠光＝茶という専門主義的解釈は、近代的であり、分野を超えて「冷えかる」という言葉を生んだ、当時の文化人たちの実態を語っていない。

③ 珠光の正体

珠光とはどのような人物であったのだろうか。数少ない資料から察するしかない。

珠光年譜

・応永30年（1423）－文亀2年（1502）奈良に生まれる。幼名茂吉。（村田姓か）

・永享6年（1434）11歳　奈良称名寺（浄土宗）の了海上人の弟子となる。
・嘉吉3年（1443）20歳　称名寺を出る。
・宝徳2年（1450）頃30代　奈良の北川端町の庵に住む。
・応仁元年（1467）-文明九年（1477）応仁の乱（44-54歳）
・文明18年（1486）63歳『山科家礼記』文明18年8月24日の条に「珠光坊へ」とある。
・文亀2年（1502）80歳5月15日、晩年に移り住んだ京都三条柳水町にて没。跡継は養子の宗珠。

その他にも将軍義政に茶の湯を教えたとか、名物の唐物を所持していたとか、一休宗純に参禅し圜悟克勤の墨蹟を授けられたたとか、様々な逸話が伝わるが、何れも後世作られた話である。その何れにも、利休が私淑した侘茶の祖としての権威付け、茶の湯と禅を結び付けようとする意図が読み取れる。

この年譜にあるように称名寺を出て約十年空白の末、彼は三十代で奈良に居たことが知られるが称名寺には戻っていない。閑居隠棲を好んでのことか、それとも称名寺と不和だったのか。その後、応仁の乱を挟んだ三十余年間全く資料はない。六十三歳のときの『山科家礼記』に「珠光坊へ」とあることを根拠に、この年まで還俗していないと云われている。

ともあれ、唐物を珍重した足利将軍家の茶の湯に権威があった時代に、珠光は後の世で侘数寄・草庵の茶と云われる隠遁的茶の湯を志向したのは事実であろう。

彼の茶の湯を理解するにあたって、まず当時の茶の湯の事情を語る資料をあげよう。

珠光の時代、普及していった喫茶はやがて隠棲風情を好む風流人の口へ。彼らは茶の徳、薬としての効用を期待すると同時に、非快楽的な味覚を嗜好した。そして、十五世紀中頃、道具に凝る者も現れ始める。『正徹物語』にその時代の事情が読み取れる。

正徹『正徹物語』二百一（１４５０）

茶の数寄といふ者は、茶の具足を綺麗にして、建盞 天目 茶釜 水指などのいろいろの茶の具足を心の及ぶほどたしなみ持ちたる人は茶数寄なり。これを歌にていはば、硯文台 短冊 懐紙などうつくしくたしなみて、何時も一続など詠み、会所などしかるべき人は、茶数寄のたぐひなり。

また茶飲みといふ者は、いづくにても十服茶などをよく飲みて、宇治ならば、「三番茶なり。時分は三月一日わたりにしたる茶なり」と飲み、栂尾にては、「これはとばたの薗」とも「これはさかさまの薗」とものみ知るやうに、よくその所の茶と前山名金吾などの様に飲み知るを茶飲みといふなり。これを歌にては、歌の善悪を弁へ、詞の用捨を存じ、心の邪正を明らめ悟り、人の歌もよく高下を見分けなどせんは、いかさまにも歌の髄脳にとほりてさとりしれりと心得べし。これを先の茶飲みのたぐひにすべし。

さて茶くらひといふは、大茶碗にてひくづにても吉き茶にても、茶といへば飲みゐて、更に茶の善悪をも知らず、おほく飲みゐたるは、茶くらひなり。これは歌にては、詞の用捨もなく、心の善悪をもいはず、下手とまじはり、上手ともまじはりて、いか程ともなく詠む事を好みて詠みゐたるは、茶くらひのたぐひなり。

【十服茶】茶勝負（闘茶）の形式。茶勝負とは茶の産地を当てる賭け事。

【三番茶】粗悪な茶。

【栂尾《とがのお》】現在の京都市右京区。高山寺周辺の地名。茶勝負における本茶（最上茶）の産地。

要約すると、茶人は茶数寄、茶飲み、茶くらひに分類され、ちょうど歌人も同様に分類できるというのだ。

茶数寄＝茶道具を綺麗に調え、建盞・天目・茶釜・水指などを心行くまで吟味し取り揃える人。歌でも硯・文台・短冊・懐紙など見事に取り揃え、何時でも歌など詠み、会所などもきちんと設えている人。

茶飲み＝取り立てて、茶道具の良し悪しに興味なく、十服茶など飲み分け、茶の産地や出荷時期などを飲み当てる者。和歌の表現や詠法に通じても「茶飲み」に過ぎない。

茶くらひ＝大きな茶椀で茶といへば良し悪しも分からずがぶかぶ飲む者。歌道では表現もなく、下手とも上手とも交際して、いくらともなく詠んでいる者が茶喰らいの輩である。

『正徹物語』の茶数寄とはいかなる階層の人々なのか。この茶数寄の道具へのこだわりが道具組という響合にまで発展していくのであろう。十五世紀後半には既に唐物にこだわらず、本来民具であった焼締の土味、照りなく光を吸収する風合い、経年変化によって育つくすみなどの齎す風情に、「冷え枯る」心境を見出していた。焼締めの風情が唐物にはない心境に適ったのである。彼らにとって茶道具は必ずしも名物唐物のように鑑賞するだけのものでなく、道具組が表現手段であった。彼らは会所で使用人に茶を点てさせるのではなく、自ら庵にて客前で茶を点てた（注9）。そのため多種の道具を客前に持ち出し、見せる（見られる）こととなり、道具組が重要な表現手段となったのである。

将軍家の唐物の美を賞玩する茶の湯に対し、珠光は道具ではなく道具組の工夫を主張した。即ち、響合による道具組の茶の湯であり、表現志向は「冷え枯る」心境の表現であった。

その志向は連歌その他の当時の芸道と共通する。これが後の世に禅と結び付けられ「侘茶」と称された。禅と茶の湯が結び付くのは、共に新興文化であり、本稿第三章の冒頭、日本美術の志向の内の「隠遁志向」として共通点があり、比較的結び付きやすかったように思う。心敬も天台宗の僧でありながら歌道は「禅定修行の道」と云っている。心敬の語る禅とはどのようなものであったのかは検証してみることは必要だが、結果的に禅は布教において、茶の湯は権威付けにおいて双方が必要とした。近世では唐物茶は美の賞翫であるのに対し、侘茶は精神性を重んじる茶と云い切る根拠に禅が利用されている。このことが、茶の湯の正体を分かりにくくしている原因の一つであろうが、少なくとも侘茶の祖と云われる珠光には禅的な要素は未だ窺えない。茶の湯と禅の結び付けたのは珠光の養子宗珠からであるという（注9）。

茶数寄の中で、民具の焼締を見立てた手柄は流行したようであるが、多くの表現行為が陥るように、手柄が広まるにつれやがて類型化していった。珠光は、焼締を用いれば、「冷え枯る」心境だとする類型化した茶の湯を嫌った。備前焼・信楽焼を嫌ったわけではない。むしろ好みだったからこそ戒めたのかもしれない。備前焼・信楽焼を使うことで隠者を気取り、風情だと思い込み感性が抜け落ちた類型的表現を戒めたのだ。珠光は鑑賞能力を高め、道具組、即ち響合による秩序を成し、唐物から和物まで、手取り釜のような格の低いものまでも調和を面白く見せることを提唱した。これは後の利休による見立ての諸道具を予感させる。

珠光を理解するには、華々しい将軍家の唐物茶や同朋衆の活躍の陰に隠れた、数寄者の存在を確認しなければならない。

珠光は道具組を重視していたからこそ、独りよがりに陥らず、鑑賞能力を磨き、唐物・和物・民具を幅広く用い、道具組による調和を図り「冷え枯る」世界を表現することを提唱したのだ。彼にとって道具組（響合）は「冷え枯る」世界の表現であり、茶の湯の中核に他ならない。

図5　おようの尼絵巻

珠光の人物像は、二通りに解釈が分かれよう。一つは、十六世紀の絵巻物〈おようの尼〉（図5）に登場する老法師のような人物とする説である（注9）。侘しい隠遁的生活を営み、茶の湯を嗜む僧侶であることは真に合致する。天文年間（1532-1555）の『清玩名物記』によれば珠光旧蔵の道具は〈珠光茶碗〉四碗のみにとどまる。この記載はこの人物像に有利な資料である。

もう一つは、高価な唐物をも所持できる立場にありながら「冷え枯る」世界を求めた人物像である。後の世の『山上宗二記』（1590）更には『南坊録』（1693）には珠光が、よき道具の所持者であった記載がある。〈珠光茶碗〉〈投頭巾茶入〉〈珠光文琳〉〈珠光香炉〉〈圜悟克勤墨蹟〉〈徐熙 鷺の絵〉『君台観左右帳記』などが挙げられている。高価な唐物の所持者としての珠光は〈御用の尼〉の老法師のタイプと相反する。しかし、『山上宗二記』も『南坊録』も後の世の記録である。

筆者は、『心の文』にある「よき道具を持ち、その味わいをよく知りて、心の下地によりて」と奈良の有力者な国人、山城国一揆を鎮圧した古市澄胤に対して堂々と言っているところに注目したい。〈御用の尼〉の僧侶のような人物が「よき道具」を持てる立場（身分・財力）であったのか疑問が残る。『山科家礼記』の「珠光坊へ」の記載があっても、称名寺を出てから四十余年間、ずっと僧侶であったかは不明だ。
筆者は積極的に先学を否定する資料は持ち合わせないが、次に紹介する、金春禅鳳の弟子の与四良のような風流人も、珠光像の候補に加えてもよいのではないかと考える。与四良なる人物の記録は以下の『禅凰雑談』にわずかに残るだけだが、彼のようなそれなりの富裕層が金春禅凰周辺には複数いたことが確認できる。珠光よりやや時代が下がるが、与四良のように能や茶の湯に明るい人物もいたことであろう。

与四良 参考資料

参考㈠金春禅凰『禅凰雑談』同書（中巻）十五番目の条
与四良来り、数寄によそへて能物語候。結構見事申さば、是までにも被申候、金の風炉・鑵子・水さし・水こぼしにてあるべく候へ共、沁みはせまじく候。伊勢物・備前物なりとも面白く工み候はゞ勝り候べく候。

◎訳：与四良が来て茶の湯と能と比べながらの話をした。なかなか興味を惹く話をするに、唐物胡銅の風炉 釜 水指 建水があっても、心に沁みるものはない。伊勢や備前の和物でも面白く組めばこれらに勝ると云う。

注：「沁み」とは焼締の土味、照りなく光を吸収する風合い、経年変化によって育つくすみなどが齎す風情。唐物の完結した造形美にはない風情を評価している。「伊

勢」とはどこの窯なのか不明だが、「備前物でも面白く組めば」というところに『心の文』が想起される。当時、確実に唐物茶に対して、備前焼などの焼締が流行し、道具組が茶の湯の重要な要素としていた茶人たちがいたことは間違いない。

参考㈡同書（中巻）　永正九年（１５１２）十一月五日の条
申十一月五日、大夫父子来臨、被留候。明日も逗留にて候。其夜は与四良方にて候。
◎訳：申の年十一月五日、禅凰と子の七郎がお越しになり泊まられた。翌日もいて、その夜は与四良宅へ参られた。

参考㈢同書（中巻）二四番目の条
与四良方にてかやうに鼓・太鼓・笛雑談共候は、又三良賞翫の心にて候。
◎訳：与四良宅にてこのように鼓・太鼓・笛や話を共に交わすのは又三良の楽しみである。

参考㈣同書（巻中）　永正十三年（１５１６）五月二十六日の条
子年五月廿六日に、与四良方へ来臨、五つの小謡書候て給候。

◎訳：永正十三年五月二十六日に与四良宅に参られて。五つばかり謡の本をもらった。

注：これが与四良に関する全ての資料である。与四良とはどのような人物なのか。禅鳳の素人弟子のようだが、能・茶の湯にも造詣が深い数寄者のようだ。それなりに裕福であり、禅鳳の態度からして格別高い身分とも思えない。商人であり、禅鳳を支える有力な弟子であったのか。わずかな資料からの印象だが、与四良は『正徹物語』のいう茶数寄から、冷え枯るる風情を重んじる茶に近づいた人物であろう。珠光の茶の湯は与四良のような数寄者の中にあって一際求道的であり、〈御用の尼〉の僧侶は「よき道具」を所持せぬ茶人と見受けられる。

珠光と与四良は十年以上の歳の差があり、面識もなかったであろう。しかし、このような数寄者は珠光の時代に多くいたようで、珠光が『心の文』で「ひゑかると申して、初心の人躰が、備前物、信楽物などを持ちて、人も許さぬたけくらむこと、言語道断なり」と批判した対象となる人々もこのような数寄者の一部であったと思われる。珠光自身もこのような階層の数寄者の中にあって、より優れた見識を持った人ではなかったか。先学の語る珠光像を積極的に否定するほどの根拠はないが、珠光像の中に、与四良のような人物を加えて検討してみる価値はあろう。

室町以降の茶の湯の流れを大まかに図式化すれば以下のようになろう。

①造形美の時代（唐物・室町将軍家の茶）→②風情の時代（冷え枯る・珠光〜

利休）→③美意識の時代（好み物・利休～江戸前期）→④流派の時代（作法としての茶・江戸前期～江戸後期）→⑤茶道の時代（女子教育としての茶・明治以降）

こうしてみると、珠光は確実に一時代を築いた人物である。彼がいなければ利休は存在したであろうか。

彼の唱える「和漢の境を紛らわす」ことは、響合の手法であり、和漢の概念は平安時代以降、日本文化史の両輪である。もし和漢の概念がなければ、日本文化は中国文化の亜流に終わっていたであろう。

第四章：注

（注1）【手柄】てがら　多くの茶人に評価され普遍化した茶事の工夫。

（注2）一条兼良『連珠合璧集』には寄合の手引きが記されている。本稿第二章②連歌の寄合・付合参照

（注3）主に『角川古語大辞典』小学館『日本国語大辞典』を参考にした。

（注4）謡曲『桜川』あらすじ：日向国に住むある女はわが子桜子が自分の貧窮を見かねて身売したことを知る。わが子を捜しさまよう女は常陸国桜川までたどり着く。子を思うあまり狂女と化した母は、川に流れる桜の花びらを手網ですくい落花を惜しむ。そこへ僧が供を連れてやってくる。その供こそ桜子であり、親子は再会を果し連れ立って帰郷する。

（注5）『分類草人木』永禄七年（1564）茶に近き道具　一位　茶入・天目茶碗　二位　・水指・水滴・茶杓　・柄杓立・蓋置
遠き道具　葉茶壷・香炉・書画・花入　但葉茶壷は近き第一と伝説あり
『烏鼠集』元亀三年（1572〜）
茶に近き道具　一位　・葉茶壷・小壺・茶入・天目茶碗　二位・水指・水滴　三位・茶杓・柄杓立・蓋置　四位・火筋・炭取　茶に遠き道具道（茶に近い順　一位花入　二位・絵字（掛物）
『南方録』元禄三年（1690）　掛物ほど第一の道具はなし
『茶湯一會集』安政五年（1858）体（重要）の道具＝掛物　主人公＝釜　茶につく道具＝・茶入・茶碗・茶杓
（注6）柳宗悦『茶と美』
（注7）森田文康『増補改訂 茶の湯銘事典』22世紀アート
（注8）【焼締】やきしめ　釉薬をかけず、土肌のままの焼物。土物とも。備前焼、信楽焼はその代表。
（注9）神津朝夫『茶の湯の歴史』角川学芸出版

第四章：画像出典
（図1）『日本美術全集10 黄金とわび』荒川正明 著、小学館、2013

（図２）※著者実物撮影
（図３）※著者実物撮影
（図４）『日本美術全集10 黄金とわび』荒川正明 著、小学館、２０１３
（図５）『茶の湯絵画資料集成』筒井紘一 監修／赤井達郎 編／中村利則 編、平凡社、１９９２

第五章　工芸考

この島国は大陸・半島から寄せ来る政変の波と文化の香に刺激を受け歴史を刻んできた。近代文明に触れた明治の世も、欧米に近づこうという意識が国のエネルギー源となった。一方で和歌・茶の湯・工芸などの伝統文化は生き残りを賭けた転換を強いられることとなる。

本来、美と用は不可分であるはずだが、近代西洋芸術の影響を受け、美（芸術）と用（日常）を分離することにより、芸術を独立させ、純粋芸術として美の為の美を求める傾向にあった。この芸術至上主義と称する動きは大いに称賛され、近代は芸術家の創造する個性的な花が咲き乱れる時代となった。それは精神と物質を分離することにより、物質の研究を飛躍的に発展させた近代自然科学の状況に似ている。

一　絵画空間と工芸空間

近代芸術至上主義は、美は美の為にあると主張してきた。あらゆる制約を受けない解放された精神の存在を信じたのである。作家の個性を重んじた自由な精神活動は、万人の目指すところとなったのだ。

しかし、制約を受けない自由な芸術など本当にあるのだろうか。茶人や民芸論者が云う「用の美」という言葉も不可解で、工芸のみならず、絵画も彫刻も美は常に用として存在してきたと筆者は考える。

序章で述べた通り、人類は社会形成の為、志向を表現するにあたって、美の力を活用してきた。従って、美は当初から一定の役割を担ってきた。その社会的役割を終えた近代の美は自由に解き放たれたように見えるが、そもそも美の為の美などなく、全ての美は用の一要素であることから逃れられなかったのだ。

絵画空間という言葉は誰しも聞いたことがあろうが、工芸空間という言葉は耳に馴染んでいない。工芸品のある空間は我々のいる空間と同じであるから、あえて工芸空間などと云う必要がないのである。絵画・彫刻は作品と観者が対峙し、観者のいる空間は作品の表す空間と異なる。工芸作品は使用者の身体の延長に存在する。〈モナ＝リザ〉の観者はルーブルに居る。〈モナ＝リザ〉という名画はルーブルに居るのではなくルーブルにある。モナ＝リザは荒涼とした風景を背景に居る。それに対し、茶人と茶碗は同じ茶室という空間に居り、茶碗は茶人の身体の延長にある。この点が絵画と工芸の最大の違いである。

近代の芸術至上主義の観点では、この相違点を重視し、工芸は用に制約され純粋芸術ではないと断定したのである。絵画・彫刻がfine art. pure artであるのに対し、工芸はminor art. lesser artと添えもののような下位に位置する芸術と捉えた。明治40年、日本の美術水準を高めたいと始められた第一回文部省美術展覧会（文展）が日本画・西洋画・彫刻の三部門で始まり、工芸部門は昭和になって漸く加えられたことからも、当時の状況が窺われる。

筆者は「工芸も素晴らしい」と作品の出来映えを讃えたいのではない。それは民芸論者にお任せするとして、筆者は作品の役割（用）を問題にしたいのだ。絵画や彫刻は思いのほか実社会・実生活に実用としての役割を果たしている。需要に応えるため、パトロンの意

図1　ソファに横たわる裸婦

図2　ヴェネツィアの
パラッツォ・ドゥッカーレ

向を考慮して制作する姿勢は、決して芸術の精神に反する行為ではない。全ての作品は何らかの役に立つよう意図して制作したのではないか。

筆者は絵画・彫刻を卑しめようとする者ではない。芸術家は芸術世界の中で個性的に生きるという孤独な存在ではなく、もっと社会と結び付いた存在として捉えるべきだと主張する者である。

先に述べた通り、絵画・彫刻と工芸は、作品が観者と、対峙するか、身体の延長に位置するかの違いがあったとしても、その違いが芸術の地位を規定するものではない。なぜなら、絵画・彫刻も用の上に成り立っているからである。

レオナルド・ダ・ヴィンチのサンタ・マリア・デレ・グラツィエ修道院の〈最後の晩餐〉は修道院の食堂の壁面だからこそ選ばれた画題であり、粗食を人間のあるべき姿として受け入れさせる役目を果たしていたのであろう。十二歳の少女を描いたブーシェの〈ソファに横たわる裸婦〉（図1）はルイ十五世のあぶな絵ではなかったのか（モデルのオミュルフィは制作の翌年ルイ十五世の公妾になっている）。印象派の絵が明るいのは、十九世紀、フランスのブルジョワジーが住まいの壁に宗教色の薄い明るい絵を欲していたからではないのか（図2）。

芸術はその起源の段階から何らかの役割をもって生まれており、用と社会が結び付いて成立していると捉えるべきだ。作品の内容は作家のみならず需要者もその一翼を担っており、作品は何らかの用を果たしているのである。だからこそ、芸術作品は社会を反映した存在であるのだ。

そもそも、芸術空間と生活空間（観者の身体が存在している空間）との境はどこまで明快に区分できるのであろうか。

近代以前、芸術空間と生活空間との境は曖昧で、明解な線引きはなかった。近代人は用と絵画を引き離そうとしたため、本来の絵画のあり方を見落としてしまった。その具体例を、年代を遡って挙げていこう。

図3　玉虫厨子・捨身飼虎図

法隆寺〈玉虫厨子〉台座部側面の〈捨身飼虎図〉（図3）を見てみよう。釈迦の前世の物語（本生譚）が描かれている。マカサッタ太子は、七匹の子虎を産み、獲物を捕らえる体力をなくし餓死寸前となった虎の親子に出会った。太子は憐れに思い、自分の身

図4　玉虫厨子・捨身飼虎図

を食わせて親子の命を救ったという物語である。画面下部の竹林の中で横たわり、虎親子に自らの肉を食わしている太子の様に注目をしたい。母虎が太子の内臓を食っている凄惨な様子の中で、太子の表情は穏やかで満足気で、右向きに横たわる姿は涅槃像を思わせる。この表情が凄惨な場面の緊張を和らげている。

もう一つ凄惨を和らげているものがある。場面を覆う竹林である。古代絵画は東西を問わず、原則的に物と物を重ねて描くことはしない。この原則に従わない箇所があれば、それは何らかの意図があってのことである。〈玉虫厨子〉の場合もこの原則を踏まえているが、太子と竹林は重なるどころか、もはや主題は覆われている（図4）。

〈玉虫厨子〉には像と竹を重ねた場面がもう一箇所ある。〈施身問偈図〉（図5）の雪山童子と問答する羅刹の背後にある三本の竹である。この恐ろしい顔をした人食い羅刹の正体は、実は仏に帰依する帝釈天である。羅刹の正体を、清浄を表す竹により暗示しているのである。

では〈捨身飼虎図〉の竹林に覆われた太子像はいかなる意図があるのであろうか。絵画空間と観者の居る空間は別の空間と考える近代人は、凄惨な場面を視覚的に和らげるためと結論付けるであろう。しかし、古代人にとって絵画空間はもっと直接的なものであった。彼らにとって死体という忌嫌う図像は不吉であったのだ。彼らは死の穢れが自身に及ばないように、竹に備わった呪力を期待し死体を覆い浄化し、自らを死から遠ざけたのである。この場合、竹であることが重要で、竹は古代においては物を腐蝕させない呪物として役立っていた。竹林をよく見ると、太子の身体と重なる部分の縦に並ぶ竹は一本おきに太子と重なり（被り）一本おきに体と重なる部分を透かして描いている。画家はモチーフの重なりを避ける古代絵画の原則を守りつつ、死の穢れを閉じ込める呪力とのバランスを考慮した結果の表現と思われる。本生譚のこの場面は、太子の崇高な精神を表すと同時に、穢れた肉体も描かねばならない。この矛盾を解決するために竹という呪物が活用されたのである。

図５　玉虫厨子・施身問偈図

このように、古代においては絵画空間の延長に観者の身体はあり、絵画と観者は別の空間に対峙するものではなかったのである。

『栄花物語』巻三十つるのはやしには臨終を迎える藤原道長（９６６-１０２８）の法成寺阿弥陀堂での様子が詳しく書かれている。

「御目には阿弥陀如来の相好を見たてまつらせたまひ、御耳にはかう尊き念仏を聞しめし、御心には極楽を思しめしやりて、御手には阿弥陀如来の御手の糸をひかへさせたまひて、北枕に西向きに臥させたまへり。」

末法思想に取りつかれていた道長は、当然、阿弥陀仏に縋り往生を遂げようとした。『栄花物語』はもとより『御堂関白記』、『大鏡』、金峯山寺蔵〈藤原道長金銅経筒〉などに彼の信仰心が見て取れる。

五色の幡（紐）を付けた阿弥陀来迎図は、京都黒谷の金戒光明寺蔵〈山越阿弥陀図〉などに形跡が残されている。

『往生要集』大文第六 別時念仏 第二臨終の行儀（985）に「その像の右手は挙げ、左手の中には一の五綵の幡（紐）の、脚は垂れて地に曳けるを繋ぐ。当に病者を安んぜんとして、像の後に在き、左手の幡の脚を執り、仏に従ひて仏の浄刹に往く意を作さしむべし。」とあり、来迎図の阿弥陀如来の手につながる幡の端を往生間際の人に握らせることは、道長に限らず当時の貴族が行っていた臨終の様相であったと思われる。死の床にある人にとって五色の幡は自分の身体の延長に阿弥陀仏がいる証であったろう。そこに心の平安を求め、浄土に思いを巡らしたのだ。このように、絵画空間と生活空間は交錯していたのである。

更にもう一例として、俵屋宗達作〈風神雷神図屏風〉を挙げたい。

建仁寺蔵のこの屏風は二曲一双という当時としては稀な形状をしている。資料に乏しい中、養源院〈杉戸絵〉との類似において、筆者はこの作品を元和（1615-1624）も

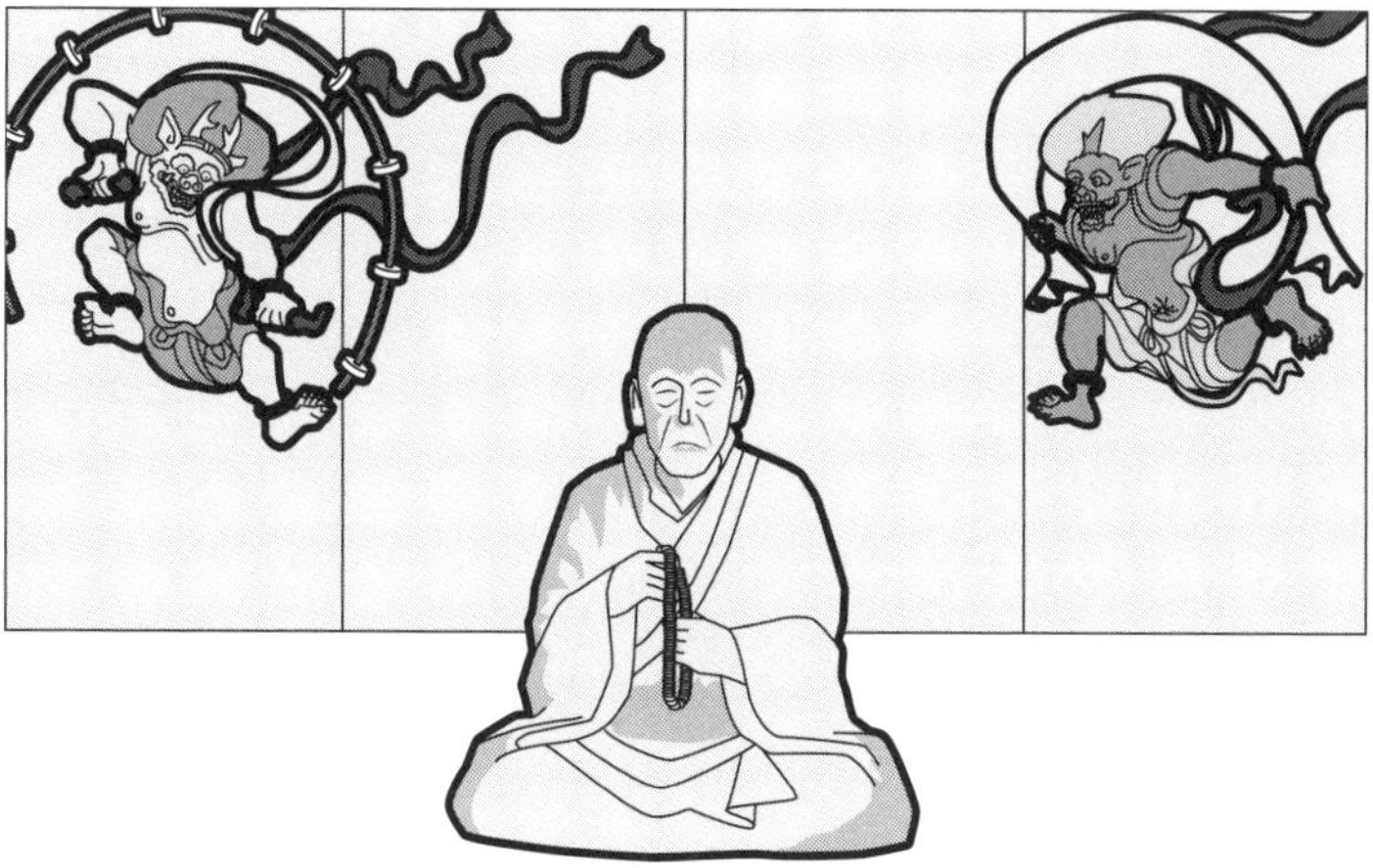

風神雷神図屏風と人物像

後半の作とみている。筆者はその構図は、二曲設えた中央最下部を扇形の要の位置とし、放射線状左右に躍動感あふれる姿で雲に乗る二柱の神を描いている。中央が大きく空けられていることも構図の大きな特徴である。宗達独特のおかしみを含む画風で描かれている。屏風という調度品は必要に応じ空間を仕切るか、室内の模様替え、もしくは座席の背景として座する人を引き立たせるために置く。

　中央部分の空白の下部は扇状構図の要の位置であることを確認しておきたい。この要の位置の前に屏風を背にして人独り座してみよう。途端に風神雷神は中央の人物の脇侍となり人物を引き立てる。人物と屏風は扇状構図の基に一体感を持ち、引き締まるのである。白い雷神を普賢菩薩の乗る白象、緑の風神を文殊菩薩の乗る獅子の化身とする興味深い説があるが、残念ながらこの説だと本尊は見当たらない。生身の人物を本尊の如く中央に座らせると、完成した構図になり、風神雷神は更に躍動感を増す。近代人はこの絵の迫力に魅了されるあまり、屏風という調度品を自己完結した絵画として鑑賞してしまい、宗達の意図した効果を見逃す結果を招いたのだ。

このように近代以前の絵画は観者と空間を共にし、決して用から解放された空間ではない。当然、近代人のいう芸術や工芸なる概念はなかったのである。芸術至上主義が高らかに賛美されてより、絵画や彫刻を称賛する一方で、用と密接な工芸という概念を生んだ。更に、軽視されがちな庶民的工芸の美を民芸という形で拾い集め、用の美という概念でその美を讃えなければならなかった。それは、生活に密接な一部の美が芸術至上主義に押され、美の世界から締め出されそうになったためである。これは柳宗悦らの業績に他ならない。しかし、民芸論者の「用の美」という概念は絵画・彫刻を純粋芸術とした芸術観を認め、そこにから外された美を語る以上、近代的概念と云えよう。柳は近代人なのである。

自由な精神を表す芸術に対し、用の美＝工芸・民芸があるのではなく、あらゆる美は用としてあり、美は用の一要素だと筆者は考える。

芸術至上主義が崩壊した現在、絵画・彫刻と工芸のヒエラルキーは今後益々消滅していくことが予想される。さすれば、民芸は「運動」を終え、今後は民芸様式、民芸調、民芸手など様式名として言葉を残すであろう。

二　第二芸術論について

戦後、芸術至上主義は隆盛を極め、フランス文学を専門とする桑原武夫（1904-1988）の『第二芸術』（1946-11『世界』岩波書店　所収）のような俳句劣等論まで生むことになる。彼はまず大家の俳句、素人俳句を合わせて十五句挙げて、作者の名を伏せれば、どの句が大家の作か誰しも区別がつかないだろうと訴えた。彼の結論は、現代俳句など思想性もなく取るに足らない、老人や病人が余技とし、消閑の具とするにふさわしい。しいて芸術の名を要求するなら「第二芸術」とよぶべきだという芸術ヒエラルキーを論じたのである。

かつて、筆者は学生時代に初めて『第二芸術』を読んだとき、芸術のあるべき姿を考えさせられたと同時に、何やら戦前の優生学の残像のような匂いを感じた。

西洋哲学が最も高尚な学問であるかのような論調は、わずかではあるが西洋美術史コンプレックスとして、1970~1980年代の日本美術史の一部専門家にもあったように思う。奈良時代の美術を古典様式とし、平安初期の仏像様式をバロック的と云ったり、運慶は日本のミケランジェロだとか……。横文字を使うと妙にかっこよく映るのが、当時被れやすかった若輩の筆者を惑わせた。こうした論調は、「作品がそう言っているのか」という美術史学の根本的な問いかけに答えられないまま、言葉が独り歩きしていたと思う。

第二芸術論は当時、それなりの議論を巻き起こしたが、文芸論として議論がかみ合っていたものは数少ない。その中に在って、中村草田男は真摯に、正面から反論した数少ない俳人ではなかっただろうか。草田男の反論は『中村草田男全集八』（みすず書房）所収の「教授病」に集約されている。少なくともこの論争は、筆者の中では草田男の反論で決着はついている。

ならば、なぜ今更第二芸術論を持ち出すのか。本稿では全く別の観点から第二芸術論に反論、というより真意は桑原氏に対してではなく、近代芸術至上主義に対して反論を加えたい。

芸術至上主義の立場の桑原は、作品は用から独立した存在としているようだが、俳句は用から独立した存在とは思えない。しかも、それは文学的価値を損ねるものではない。そもそも、人間が概念として外界を把握しようとする動物である以上、生活空間と作品空間との間には明快な境界はなく、両者は本来交じり合って存在していることは「美は用の一要素なのだ」として、本稿で多くの例を挙げた。俳句も生活の中での機知・即興性が含まれなければ価値は半減するであろう。芸術と日常、ハレとケ、美と用の区別は近代人の見方によるもので、近代以前にはそのような区分は存在しない。先にも述べた通り、新たな時代に移りつつある今日、芸術やスポーツなど純粋と称賛されていた精神活動は資本の渦に呑み込まれてしまった。精神と物質とを切り離すことによって飛躍的に発展した近代自然科学も倫理という精神を負うこととなった。オリンピックをはじめとするスポーツの世界も興行活動、政治活動の要素を含んでいることを認めざるを得ない状況であろう。こうした近代の行き詰まりと同時に、芸術至上主義は破綻したのである。全ての芸術は用の一要素なのだとする本稿も微力ながらそれを実証したつもりだ。

第五章：画像出典
（図１）～（図５）Wikimedia Commons（パブリックドメイン）

跋

筆者は本稿で「響合」「格義仏教様式」という造語を用いた。「易解」「共時」も全くの造語ではないが、それに準ずるであろう。

先に筆者は序において、「真実に迫らない概念は共感されず、共有には至らない」と書いた。そう書いた以上、これら造語が世に共有されることをひたすら祈るばかりだ。

恐らく、響合を海外の哲学用語に置き換えるならば、ブリコラージュ「bricolage」（Claude Lévi=Strauss）という概念が近いものかもしれない。しかし、本稿と何処まで一致するのか、未だ判断がつかない。今後勉強して、自分の理論を省みる契機としたい。

筆者は美術史研究において、一つの文化財を観察し研究を掘り下げれば、掘り下げた分、離れて俯瞰的に視野を広げ、自分の研究の位置を確認し、再び、深く掘り下げることを心掛けてきたつもりだ。掘り下げるだけではマニアックに陥り、真実を見失うと思うからだ。筆者にとって、掘り下げた研究が執筆中の法隆寺〈玉虫厨子〉に関するもので、俯瞰した結果が本稿に当たる。出版後は併せてお読みいただくと有難い。

時候 四首　　　　素人《そじん》

土匂ふ菜の花畑に足を止め浮かぶ唱歌を口ずさむ春
雨の日も欠かさず水やる子どもゐて養護クラスに朝顔咲けり
しじまなる湖の面に影映しまろき己を眺めをる月
柴刈りは老いた小作の生業と知り改めて昔話よむ

凡例
『』＝文学作品。書名
〈〉＝美術作品

著者紹介
森田 文康（もりた ふみやす）
美術史家
号：素人（そじん）
著書に、『茶の湯銘事典』（文芸社）『折々の銘』（22 世紀アート）
『増補改訂 茶の湯銘事典』（22 世紀アート）

美《び》の位相《トポロジー》
—表現《ひょうげん》の構造的研究《こうぞうてきけんきゅう》—

2023 年 11 月 17 日　第 1 刷発行

著　者　　森田文康
発行人　　久保田貴幸

発行元　　株式会社 幻冬舎メディアコンサルティング
〒151-0051　東京都渋谷区千駄ヶ谷4-9-7
電話　03-5411-6440（編集）

発売元　　株式会社 幻冬舎
〒151-0051　東京都渋谷区千駄ヶ谷4-9-7
電話　03-5411-6222（営業）

印刷・製本　中央精版印刷株式会社

検印廃止

ISBN 978-4-344-94609-5 C0095
幻冬舎メディアコンサルティングＨＰ
https://www.gentosha-mc.com/